ANAYA | ESPAÑOL LENGUA EXTRANJERA

 gramática

Concha Moreno
Carmen Hernández
Clara Miki Kondo

Elemental A1-A2

ANAYA ñ ELE

Diseño del proyecto: Milagros Bodas, Sonia de Pedro

© Del texto: Concha Moreno, Carmen Hernández, Clara Miki Kondo
© De la edición: Grupo Anaya, S. A., 2007
   Juan Ignacio Luca de Tena, 15 - 28027 Madrid

2.ª edición: 2015
7.ª reimpresión: 2015

Depósito legal: M-31348-2015
ISBN: 978-84-678-8529-3
Printed in Spain

Coordinación y edición: Milagros Bodas, Sonia de Pedro
Diseño de interiores y maquetación: Ángel Guerrero
Ilustración: Alberto Pieruz
Diseño de cubierta: Fernando Chiralt
Corrección: Manuel Pérez
Estudio de grabación: Anaya Educación

Las normas ortográficas seguidas en este libro son las establecidas por la Real Academia Española
en su última edición de la *Ortografía*.

RESENTACIÓN

Anaya ELE en es una colección temática diseñada para aunar teoría y práctica en distintos ámbitos de la enseñanza de Español como Lengua Extranjera. Su objetivo es ofrecer un material útil donde la teoría se combine de forma coherente con la práctica y permita al alumno una ejercitación formal y contextualizada a través de actividades amenas y variadas, teniendo en cuenta siempre el **uso** de los contenidos que se practiquen.

Esta colección se inició con un libro dedicado a los **verbos,** un **referente** destinado a estudiantes de todos los niveles.

Anaya ELE en es una serie dedicada a la **gramática,** al **vocabulario** y a la **fonética,** estructurada en tres niveles y basada en el *Plan Curricular del Instituto Cervantes.*

Esta gramática **teórico-práctica** parte del uso, y estructura de forma coherente los contenidos gramaticales y su funcionamiento.

ESTRUCTURA DE LA UNIDAD

Cada unidad consta de:

- **¡Fíjese!** Viñeta con muestras de lengua donde se contextualizan algunos de los puntos que se desarrollarán en la unidad.

- **Así se construye.** Ficha con información formal y estructural.

- **Así se usa.** Ficha destinada a explicar el uso de las formas y su contexto.

- **Practique cómo se construye.** Apartado dedicado a la práctica de las estructuras.

- **Practique cómo se usa.** Apartado destinado a trabajar las formas y estructuras en su contexto, sus usos y funcionamiento.

- **Mis conclusiones.** Esta sección no tiene por objetivo una reflexión profunda sobre los contenidos vistos. Lo que pretendemos es que quienes hayan leído la teoría y realizado los ejercicios se detengan un momento para asegurarse por sí mismos —y antes de consultar las soluciones— de que han entendido y asimilado los contenidos de la unidad. Creemos que no basta con «acertar» las respuestas. Para interiorizar lo estudiado hay que reflexionar sobre ello.

En todos los manuales se incluyen las **soluciones** de los ejercicios; de esta forma se constituye en una herramienta eficaz para ser utilizada en el aula o como **autoaprendizaje**.

Anaya ELE pone al alcance del estudiante de español como lengua extranjera un material de trabajo que le sirve de complemento a cualquier método.

ÍNDICE

INTRODUCCIÓN

«Es el punto de partida el que crea el objeto». Corder (1973)

Siguiendo a Corder, esta gramática en tres niveles no podría entenderse sin ese punto de partida o posicionamiento metodológico por parte de las autoras.

Creemos, con el *Marco común europeo de referencia para las lenguas,* que:

«Formalmente, la gramática de una lengua se puede considerar como un conjunto de principios que rige el ensamblaje de elementos en compendios (oraciones) con significado, clasificados y relacionados entre sí. La competencia gramatical es la capacidad de comprender y expresar significados expresando y reconociendo frases y oraciones bien formadas de acuerdo con estos principios (como opuesto a su memorización y reproducción en fórmulas fijas)».

Es decir, que los usuarios deben tener modelos para construir oraciones bien formadas y poder reconocer las que se encuentren tanto en forma oral como escrita. Por otra parte, esos modelos deben extraerse del funcionamiento en uso del sistema, cuya observación nos permitirá extraer reglas que servirán para elaborar mensajes que expresen significados. Pero la nuestra no es una gramática que se detenga en las estructuras oracionales, sino que **tiene en cuenta el nivel supraoracional,** los contextos en los que se producen los diversos usos, el discurso completo (lo dicho anteriormente, lo compartido o conocido...), la significación y la intencionalidad del interlocutor. Por lo tanto, no es un mero compendio de modelos entendidos como construcciones, dado que en nuestra concepción de la gramática son muchos los componentes que se interrelacionan.

LOS DESTINATARIOS

Si para crear el objeto necesitamos un punto de partida, también debemos tener en mente unos interlocutores o destinatarios cuando escribimos. Para nosotras estos son los estudiantes de español interesados en iniciar, profundizar o ampliar sus conocimientos lingüísticos del español. Con esta gramática pueden hacerlo **con la ayuda de sus profesores o como autodidactas,** ya que al final de cada libro se incluyen las soluciones de todos los ejercicios. Incluso, cuando las respuestas son más abiertas, se hacen comentarios o se dan ejemplos.

También se ofrece un **test de autoevaluación,** para que el estudiante pueda asegurarse de que ha asimilado los contenidos principales de cada nivel. Los profesores también encontrarán explicaciones coherentes, amplias y niveladas que podrán llevar a clase completándolas —qué duda cabe— con su aportación personal.

LOS NIVELES

Abordar el estudio de la gramática de una lengua no es una tarea inasequible si los contenidos están repartidos en niveles. Para establecer esos contenidos nos hemos apoyado en las directrices marcadas por el *Plan Curricular del Instituto Cervantes* (2007). Esta secuenciación debe ser lo suficientemente sólida para que sirva de base a la construcción del conocimiento lingüístico posterior.

De acuerdo con los diferentes niveles de referencia, el grado de dificultad y de profundización va aumentando progresiva y paulatinamente. Por ello, muchos contenidos se repiten en los tres niveles y esta es una de las mejores bazas de esta gramática: los contenidos no se asocian con un nivel sino que se van adquiriendo en función de las necesidades de cada uno, la dificultad o el grado de reflexión requerido.

TIPO DE EXPLICACIONES

Teniendo en cuenta el grado de conocimiento lingüístico previo que presuponemos en los estudiantes de los niveles Elemental y Medio (A1-A2 y B1), hemos procurado que las explicaciones correspondientes sean sencillas, sin demasiados conceptos abstractos al principio. No obstante, en nombre del **rigor y la coherencia,** hemos preferido mantener a lo largo de la obra un metalenguaje que oriente a los lectores. Asimismo, este rigor se aprecia en las **explicaciones** y en la **reflexión previa** que las sustenta. A diferencia de otras gramáticas, se ofrecen criterios de análisis innovadores que hasta ahora apenas se habían considerado:

- qué tipo de complementos selecciona un determinado contenido gramatical,

- qué restricciones impone y

- qué matices intencionales se derivan de todo ello.

Aspectos como la posición, la distribución, el foco, la cuantificación, la estructura argumental de los predicados... están sobreentendidos en las explicaciones, eso sí, expuestos de **manera pedagógica y clara,** porque el rigor no debe estar reñido con la claridad.

Las frases agramaticales van precedidas de un asterisco (*).

LA UNIDAD

La lengua es forma y significado y en nuestra visión de la gramática es prácticamente imposible separarlos. Creemos que el conocimiento de la primera ayudará a entender el significado cuando está en contexto. No obstante, en los primeros niveles, el destinatario se enfrenta a la necesidad de afianzar los aspectos más paradigmáticos o estructurales; no así en el nivel Avanzado (B2), en que, por su grado de conocimiento, el estudiante ya no requiere esta separación entre forma y significado pues, aunque todavía ha de seguir aprendiendo, ya cuenta con unas bases sólidas.

Por otra parte, dependiendo del **estilo de aprendizaje personal o cultural,** la importancia de dominar las formas lingüísticas es determinante para poder construir mensajes con sentido. Muchos estudiantes de español se encuentran en este caso, de ahí que hayamos decidido trabajarlas por separado en dos apartados y con fines pedagógicos en los dos primeros niveles.

Incluimos también dos CD con el fin de que el estudiante pueda escuchar los contextos en los inicios de unidad y paradigmas verbales, además de comprobar en muchas ocasiones a través del audio si ha realizado bien un ejercicio. Así, con la ayuda de la imagen fónica, se fijan mejor las estructuras y los usos lingüísticos y, por otra parte, el estudiante tendrá modelos de entonación que, si lo desea, podrá imitar cuando hable.

CONCLUSIÓN

Hemos construido un conjunto de redes que, por un lado, vincula entre sí las formas y los usos y, por otro, a los usuarios con las explicaciones de esta lengua, que además les sirve para relacionarse y comunicarse con el mundo. Esperamos que la comunicación corra fluida por todas ellas y que el final de los tres niveles no sea un punto de llegada, sino un punto y seguido para continuar aprendiendo desde otra perspectiva.

Agradecemos la colaboración de nuestras editoras, la experiencia proporcionada por nuestros alumnos y alumnas y, muy especialmente, agradecemos la paciencia de nuestras familias y amigos por nuestras ausencias de los últimos tiempos.

Las autoras

Gramática

teoría y práctica

1 Un libro o el libro de María

LOS ARTÍCULOS Y LOS SUSTANTIVOS

FÍJESE!

(1: 1)

Una agenda

La agenda de David

Unos libros

Los libros de Ana

Un libro

El libro de María

Un / el fotógrafo

Una / la fotógrafa

Así se construye

ARTÍCULOS

	INDETERMINADO		DETERMINADO	
	Masculino	**Femenino**	**Masculino**	**Femenino**
Singular	un	una	el	la
Plural	unos	unas	los	las

SUSTANTIVOS

Singular · Masculino	Femenino
1. Los terminados en **-o** ⟶	cambian la **-o** por **-a.**
un / el fotógrafo	*una / la fotógrafa*
2. Los terminados en **consonante** ⟶	añaden **-a.**
un / el profesor	*una / la profesora*
3. Los terminados en **-e** ⟶	no cambian.
un / el estudiante	*una / la estudiante*
	o cambian **-e** por **-a.**
un / el dependiente	*una / la dependienta*

SUSTANTIVOS

Plural	Masculino	Femenino
1. Añaden **-s** los terminados en **-o**		Añaden **-s** los terminados en **-a**
unos / los fotógrafo**s**		unas / las fotógrafa**s**
2. Añaden **-es** los terminados en		unas / las profesora**s**
consonante (en caso de **-z** pasa a **-c**)		unas / las dependienta**s**
unos / los profesor**es**		Añaden **-s** los terminados en **-e**
unos / los pe**ces**		unas / las estudiante**s**
3. Añaden **-s** los terminados en **-e**		
unos / los estudiante**s**		
unos / los dependiente**s**		

Así se usa

¿EL / UN?

El artículo determinado señala un nombre específico. Pero el artículo indeterminado señala un nombre no específico.

La fotógrafa Annie Leibovitz / Necesito a **una** fotógrafa con experiencia.

¿MASCULINO O FEMENINO?

• Son masculinos los nombres terminados en **-o.**

el abogado, el hermano, el perro, el teléfono

PERO **la** mano, **la** modelo, **la** soprano.

¡ATENCIÓN! No son excepciones: la foto (fotografía), la moto (motocicleta), la radio (radiofonía)

• Son femeninos los nombres terminados en **-a.**

la abogada, la hermana, la perra, la mesa

PERO **el** día, **el** mapa, **el** sofá, **el** pijama, **el** problema, **el** tema, **el** idioma.

• Son femeninos los nombres terminados en **-ción** y **-sión**: la canción, la pasión.

• Pueden ser masculinas y femeninas:

– Las palabras terminadas en **-e**:

masculinas: el coche, el peine. / femeninas: la leche, la mente.

– Las palabras terminadas en **consonante**:

masculinas: el lápiz, el árbol, el país. / femeninas: la luz, la cárcel, la tesis.

– Las palabras terminadas en **-ista**:

el / la periodista; el / la masajista

• Hay nombres que tienen una palabra para el masculino y otra para el femenino:

padre / madre	yerno / nuera	caballo / yegua
marido / esposa	toro / vaca	

• Otros sustantivos cambian su terminación:

gallo / gallina	actor / actriz
alcalde / alcaldesa	emperador / emperatriz

¿**SINGULAR O PLURAL?**
- Si la palabra **no** termina en **-s** es singular.
  el libro, la casa, el dentista
  PERO *el lunes, el martes, el sacacorchos.*
- Si la palabra termina en **-s** es plural.
  los libros, las casas
  PERO *las tijeras, los pantalones, las gafas…* pueden hacer referencia a un objeto o a varios.

E J E R C I C I O S

Practique cómo se construye

1 **Escriba el masculino, femenino, singular y plural de estos nombres.**

Masculino		Femenino	
profesor	*profesores*	*profesora*	*profesoras*
estudiante			
		periodista	
		actriz	
	padres		

(1: 2)

2 **Escriba los artículos adecuados. Después, escuche y compruebe.**

1. ...*el*... mapa
2. .... mesa
3. .... ventana
4. .... autobús
5. .... brazo

6. ...*la*... madre
7. .... clase
8. .... lápiz
9. .... coche
10. .... gafas

11. .... yernos
12. .... sillas
13. .... radio
14. .... moto
15. .... días

16. .... nueras
17. .... puerta
18. .... televisión
19. .... mano
20. .... problema

3 **Escriba el singular o el plural de estos sustantivos.**

1. papel ....*papeles*.....................
2. vestido ....
3. .... bolsos
4. .... lunes
5. pantalón ....
6. gafas ....

7. .... camisones
8. sábado ....
9. ....*tijeras*............... tijeras
10. .... camisas
11. dentista ....
12. país ....

4 Clasifique los sustantivos según su género y número.

vaca / cama / foto / sofá / sillones / vino / idioma / tiza / manos / narices / gallina / marido /
mapa / coches / cervezas / problemas / leche / canciones / tema / viernes / bolígrafo / nariz

	Masculino	**Femenino**
singular	*vaca...*	*tiza...*
plural	*sillones...*	*canciones...*

Practique (*cómo se usa*)

(1: 3)

5 Complete con el artículo indeterminado. Después, escuche y compruebe.

Ej.: *Para la clase necesito* **un** *lápiz.*

1. Para la clase necesito (yo): ...... lápiz; .... carpeta; .... bolígrafos; ...... cuaderno.
2. En la playa necesito (yo): ...... bañador; .... toalla; .... gafas de sol.
3. Necesito (yo): ...... pantalón; .... falda; .... camisetas; .... zapatos.

6 Elija el sustantivo adecuado y complete.

zapatos de tacón

mochila

cuaderno

Necesito (yo) para clase:
un ....
una ....
unos ....
Necesito (yo) ropa para la fiesta:
un ....
una ....
unos ....

libros

pantalón

camisa

M I S   C O N C L U S I O N E S

7 Marque verdadero (V) o falso (F).

a. Todas las palabras terminadas en **-o** son masculinas: ......
b. Las palabras que terminan en **-ista** son masculinas y femeninas: ......
c. Las palabras que terminan en **-e** son femeninas: ......
d. A veces, una palabra que termina en **-s** es singular: ......

Soy fotógrafa

EL VERBO *SER*

¡ F Í J E S E !

(1: 4)

1. Hola, ¿qué tal? Soy Fernando.

3. Soy profesor, ¿y tú?

2. Hola, Fernando. Yo **soy María.** ¿A qué te dedicas?

4. Yo **soy fotógrafa.**

¿Qué **es** esto?

Es un bolígrafo.
Es el bolígrafo de José.

Son unas gafas.
Son las gafas de David.

Así se construye

(1: 5)

	SER
Yo	soy
Tú	eres
Vos*	sos
Él / ella / usted	es
Nosotros /-as	somos
Vosotros /-as	sois
Ellos /-as / ustedes	son

* El plural de vos es *ustedes*.

Vos es una forma de tratamiento familiar en algunos países de Hispanoamérica. *Vosotros* es el plural de *tú* en algunas zonas de España (centro y norte).

Así se usa

• **El verbo *ser* + sustantivo**

– ***Ser* + nombre de persona**
> Hola, **soy** Silvia. ¿**Eres** Luis?
< Sí, **soy** Luis y él **es** José.
Encantado, Silvia.
>¿**Sos** Liliana?

***Ser* + nombre de profesión**
Somos traductores.
Soy actor.
¿**Sois** estudiantes?
¿**Es** usted abogada?

Cuando:
• Identificamos.

• **El verbo *ser* + artículo indeterminado**

– ***Ser* + un(a) / unos(as)** + nombre de cosa o persona
Es un libro interesante.
Es una agenda de piel.
Son unos libros interesantes.
Son unas agendas de piel.
Es una persona inteligente.

Cuando:
• Definimos.
• Hablamos por primera vez de algo o de alguien.

• **El verbo *ser* + artículo determinado**

– ***Ser* + el / la / los / las** + nombre de cosa o persona
Es el libro de gramática.
Es la agenda de Lola.
Son los libros de inglés.
Son las agendas de Lola y Ana.
Es el profesor de Mario.

Cuando:
• Especificamos.
• Hablamos de algo o alguien que ya conocemos o que ya hemos mencionado.

EJERCICIOS

Practique cómo se construye

1 **Señale la persona del verbo con la forma adecuada del vebo *ser*.**

Ej.: *Soy* → *yo*.

1. Sois ....
2. Son .... / ....
3. Somos ....

4. Eres ....
5. Es .... / ....
6. Sos ....

2 **Complete con la forma adecuada del verbo *ser*.**

1. > ¿Quién .... tú?
   < .... Silvia.

2. > ¿Quiénes .... (ellos)?
   < .... José y Luis.

3. > ¿Quiénes .... vosotras?

   < .... Ángela y Rita.

4. > ¿Quién .... usted?

   < .... Victoria Gómez.

5. > ¿Quién .... ella?

   < .... María.

6. > ¿Quién .... vos?

   < .... Marta.

3 Relacione y escriba las oraciones según el ejemplo.

1. Yo		Victoria / Arturo		enfermero/a
2. Tú		Javier / Chus		informáticas
3. Él		Francisco		bibliotecario/a
4. Nosotras	ser	Ángela y Ada	ser	abogado
5. Vosotros		Héctor y Fernando		periodistas
6. Ellas		Mar y Mercedes		electricistas

1. *(Yo) Soy Victoria y soy enfermera / bibliotecaria* ....

   (Yo) Soy Arturo y soy enfermero / bibliotecario / abogado ....

2. *Él es Francisco y* ....

3. ....

4. ....

5. ....

6. ....

Practique cómo se usa

4 Pregunte a estas personas por su nombre o profesión. Escuche y compruebe.

(1: 6)

Ej.: > ¿**Es** usted dentista?

   < No, no **soy** dentista, **soy** médico.

1. > ¿................. (tú) Nuria?

   < No, ... Lucía.

2. > ¿................. usted Pedro Gómez?

   < Sí, ... yo.

3. > ¿A qué se dedican ustedes?

   < (Nosotras) .... abogadas.

4. > ¿A qué se dedican David y María?

   < María .... fotógrafa y
   David .... profesor.

5. > ¿................. ustedes informáticos?

   < Sí, ... informáticos los dos.

(1: 7)

5 Fíjese en los ejemplos. Formule las preguntas a estas respuestas con las formas de *tú, vosotros, usted* y *ustedes,* y complete las respuestas con la forma adecuada del verbo ser. Después, escuche y compruebe.

> Carmen / las nuevas estudiantes de esta clase / el piloto de Iberia / profesores

1. EN LA CLASE

   A: ¿Eres *Carmen?*

   B: Sí, ... yo.

2. EN UN HOTEL

   A: ¿.....................................?

   B: No, no .... el piloto de Iberia.

3. EN UN CONGRESO

   A: ¿.....................................?

   B: Sí, los dos .... profesores, de Lima.

4. EN UNA CLASE

   A: ¿..?

   B: Sí, ella .... Maike y yo .... Carla.

6 Escriba la información que tiene de estas personas.

Fernando Salamanca Biólogo	Héctor Málaga Arquitecto	Ada Ingeniera Barcelona	Ángela Veterinaria Buenos Aires	Francisco Traductor Sevilla

1. *Fernando es de Salamanca y es biólogo.*

2. ....

3. ....

4. ....

5. ....

6. ....

■ Imagine que usted es cada una de estas personas. Escriba su presentación.

Hola Soy Fernando, soy de Salamanca y soy biólogo	....	....	....	....

7 Conteste a esta pregunta según los dibujos.

¿Qué es esto?

1. .... *Es una agenda* ....   2. ....

3. ....   4. ....   5. ....

6. ....   7. ....   8. ....

9. *Es la mochila de María*   10. .... de Ángela   11. .... de Nico

12. .... Rita   13. .... de Sebastián   14. .... de Juan

8 Escriba la frase correspondiente a cada dibujo. Fíjese en los ejemplos.

a) ....
....

b) ....
.................................-

Pedro
y
María

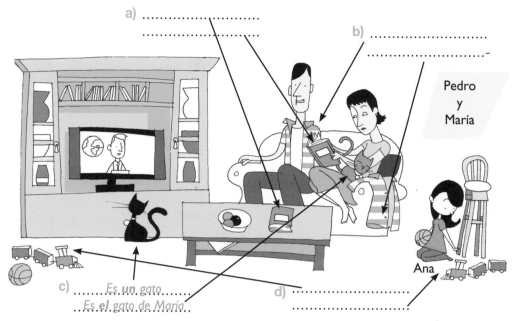

Ana

c) ....*Es un gato*.........
...Es el gato de María...

d) ....
....

MIS CONCLUSIONES

9 Marque verdadero (V) o falso (F).

a. Las formas de *ser* son iguales para *usted* y *ellos:* ......

b. Los artículos *el / la / los / las* se usan cuando hablamos de algo que ya conocemos: ......

c. La persona *vosotros /-as* se usa en todos los países donde se habla español: ......

d. *Dedicarse a* sirve para hablar de la profesión: ......

LOS ADJETIVOS

FÍJESE!

(1: 8)

Busco unos zapatos **negros**, como el bolso.

Necesitamos un coche **pequeño**.

Ana Lucia y João son **portugueses**, ¿verdad?

No, ella es **brasileña** y él es **portugués**.

Así se construye

EL ADJETIVO / GÉNERO

Singular	Masculino	Femenino
1. Los adjetivos terminados en **-o**		cambian la **-o** por **-a.**
	bonit**o** ⟶	bonit**a**
	guap**o** ⟶	guap**a**
2. Los adjetivos terminados en **-or, -ón, -ín** y los gentilicios		añaden **-a.**
	trabajad**or** ⟶	trabajador**a**
	dormil**ón** ⟶	dormilon**a**
	alem**án** ⟶	aleman**a**
	españo**l** ⟶	español**a**
	andalu**z** ⟶	andaluz**a**

3. Son invariables los adjetivos terminados en **-e, -í, -a** (poco frecuentes), **-l, -n, -z.**
   amable, marroquí, belga, fácil, joven, feliz...

EL ADJETIVO / NÚMERO

Plural	Masculino	Femenino

I. Añaden **-s** al singular.
  bonitos
  guapos
		Añaden **-s** al singular.
		  bonitas
		  guapas

2. Añaden **-es** los terminados en consonante (¡ojo!, los terminados en **-z > -ces**).
  trabajadores
  dormilones
  alemanes
  españoles
  andalu<u>ces</u>
		Añaden **-s** al singular.
		
		  trabajadoras
		  dormilonas
		  alemanas
		  españolas
		  andaluzas

3. Los adjetivos terminados en **-e, -a** hacen el plural añadiendo una **-s**:
    amables, belgas
   Los adjetivos terminados en **-í** añaden **-es** o **-s**:
    marroquíes / marroquís, israelíes / israelís
   Los terminados en consonante añaden **-es**: *fáciles, jóvenes...*
   Los terminados en **-z** hacen el plural en **-ces**: *feliz → felices.*

¡ATENCIÓN!

Hay adjetivos terminados en **-n** invariables en singular.
    *Chica **joven** / chico **joven**. Patio **común** / sala **común**.*

Otros, también terminados en **-n,** añaden **-a** en femenino.
    ***Juan** es dormil**ón**. / **Juana** es dormil**ona**.*

Así se usa

- El adjetivo tiene el género y el número de la palabra a la que se refiere.
    *Una chic**a** alt**a** / un chic**o** alt**o**.*
    *Person**as** sol**as** / mensaj**es** larg**os**.*

- Los adjetivos se construyen con el verbo *ser* para **definir** o **caracterizar** personas y cosas.
    Somos españolas.
    El coche es nuevo.
    El español es fácil.

EJERCICIOS

Practique cómo se construye

 1 Escriba el masculino o el femenino de estos adjetivos en la casilla correspondiente. Siga el ejemplo.

	Femenino		Masculino
alemán	*alemana*	polaca	*polaco*
comilón		belga	
feliz		pequeña	
rico		interesante	
israelí		japonesa	

 2 Escriba su correspondiente singular o plural en la casilla correspondiente.

	Singular		Plural
marroquíes		joven	
fáciles		español	
guapas		ecuatoriano	
capaces		trabajadora	

 (1: 9)

 3 Forme parejas con los países y los gentilicios. Luego, escriba el masculino o femenino correspondiente. Después, escuche y compruebe.

Ej.: *Perú → peruano (peruana). Bélgica → belga (masculino y femenino).*

PAÍSES	GENTILICIOS	
China	turco	....
Perú	chino	....
Chile	marroquí	....
Ecuador	**belga**	....
Israel	ecuatoriano	....
Marruecos	sueco	....
Turquía	chileno	....
Bélgica	ruso	....
Suecia	**peruano**	....
Rusia	israelí	....

Practique (cómo se usa)

 Elija el adjetivo adecuado a cada palabra (tenga en cuenta que en algunos casos hay varias posibilidades).

> importante / aburrido / fáciles / cómodos / viejo / alegre /
> larga / cortas / bonitas / grande / nuevo

1. Un libro .... *importante / aburrido* ....

2. Unos ejercicios ....

3. Un día ....

4. Una habitación ....

5. Unos zapatos ....

6. Una película ....

7. Una ventana ....

8. Una calle ....

9. Unas vacaciones ....

10. Un ordenador ....

11. Un mensaje ....

12. Unas gafas ....

13. Una ensalada ....

14. Un teléfono móvil ....

5 **Elija la opción correcta.**

1. La casa de Ángel es *grande / fácil*.

2. Aprender español es *útil / joven*.

3. Las sillas son *felices / cómodas*.

4. Mozart es *austriacos / austriaco*.

5. Las reglas son *importantes / importante*.

6. Esos chicos son *andaluzas / andaluces*.

6 Relacione los gentilicios con los países. Fíjese en si son chicos o chicas. Después, escuche y compruebe.

(1: 10)

peruano	salvadoreño
cubano	nicaragüense
argentino	ecuatoriano
canadiense	chileno

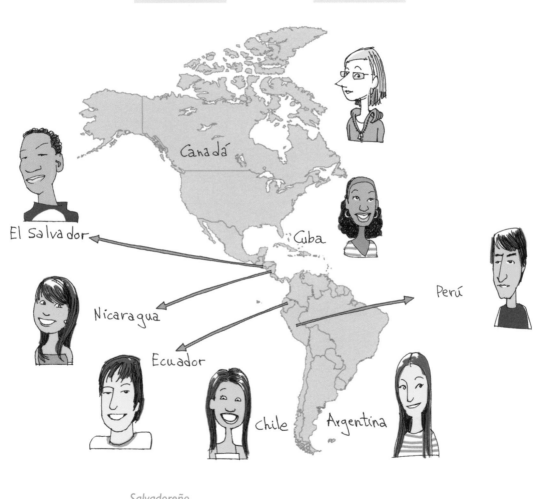

Salvadoreño
....
....
....
....

7 Elija los adjetivos necesarios para describir su ciudad y a su novio /-a.

limpia / grande / pequeña / ruidosa / tranquila / amable / alegre / inteligente /
chileno / trabajadora / sincera / divertido / dormilón / belga / israelí

Mi ciudad es...   Mi novio es...   Mi novia es...

........*grande y ruidosa*........ ....

....

■ Ahora, escuche y compruebe.

(1: 11)

8 Elija los adjetivos necesarios para describir su habitación y su perro.

blanco / bonito / divertido / grande /
nervioso / cómodo / azul / nuevo / joven

Mi perro /-a es: ....

Mi habitación es:...

M I S   C O N C L U S I O N E S

9 Complete.

a. Los adjetivos que terminan en **-z** forman el plural en ....
b. Son invariables los adjetivos que terminan en ....
c. El verbo *ser* + adjetivo se usa para ....

10 Marque verdadero (V) o falso (F).

a. Los adjetivos que terminan en **-or** son invariables: ......
b. Los adjetivos que terminan en consonante añaden **-es** para formar el plural: ......
c. Los adjetivos concuerdan con los sustantivos: ......

4 ¿Dónde están las llaves?

HAY / ESTAR PARA LOCALIZAR

(1: 12)

¡FÍJESE!

¿Qué hay en el frigorífico?

Hay un filete, una lechuga, cuatro tomates... Hay leche, huevos...

Oye, ¿dónde están las llaves?

Perdone, ¿dónde hay una parada de taxi?

Ahí **están, encima de** la mesa.

Hay una en la primera calle a la derecha.

Así se construye

(→ Unidad 15) HAY	ESTÁ / ESTÁN

• Hay + un + sustantivo
  Hay un libro en la caja.
• Hay + una + sustantivo
  Hay una libreta en la mesa.
• Hay + unos / unas sustantivo
  Hay unos chicos abajo, en la calle.
• Hay + **número** + sustantivo
  Hay dos / tres bolígrafos en la mesa.
• Hay + Ø + sustantivo
  Hay bombones encima de la mesa.
	• El / la + sustantivo + está...
	  El libro **está** en la mesa.
	  La libreta **está** en el cajón.
	• Los / las + sustantivo + están...
	  Los bolígrafos **están** en la cartera.
	  Las gafas **están** sobre la mesa.
	• Personas, países, ríos + está / están
	  José y Luis **están** en la piscina.
	  Los Andes **están** en América del Sur.

– Hay es invariable: En el frigorífico **hay tomates.**

– Está / están depende de si el sujeto es singular o plural:
  Los tomates están en el frigorífico.
  El niño está en el colegio.

Así se usa

HAY	ESTAR
• Se usa para preguntar por la existencia y la localización de lugares, objetos y personas. *¿**Hay** leche en el frigorífico?* *¿**Qué hay** en el frigorífico?* *¿**Dónde hay** un banco por aquí?*	• Se usa para preguntar por la localización de algo o alguien que sabemos que existe. *¿Dónde **está David**?* *¿Dónde **está el periódico**?*
• Se usa para hablar de la existencia de objetos, lugares y personas y su localización. *Sí, **hay una botella** (de leche).* *En el frigorífico **hay tomates y un filete**.* ***Hay** un banco en esta calle.*	• Se usa para expresar la localización de algo o alguien que sabemos que existe. *David **está en el cine**.* *El periódico **está encima de la mesa. Está ahí encima**.*

- **Para expresar localización,** observa esta ilustración.

Está al lado de la nave.
Está a la izquierda de la nave.

Está dentro (de la nave).

Está entre dos gallinas.　　Está debajo (de la nave).　　Está encima (de la nave).
Está fuera (de la nave).

Está detrás del árbol.　Está delante del árbol.　　Está arriba.　　　　Está abajo.

EJERCICIOS

Practique *cómo se construye*

1 Elija la respuesta correcta.

Ej.: *Unos libros / los libros* están en la cartera.

1. El parque *están / está* al final de la calle.
2. Los papeles *hay / están* en la mesa.
3. En una farmacia *hay / están* medicinas.
4. El ordenador *hay / está* en mi habitación.
5. En el despacho *hay / está* una impresora.

2 Complete con *de* o Ø.

1. Las llaves están encima ... la mesa.
2. La directora está arriba ... . Ya está en el despacho.
3. Debajo ... los papeles está tu libro.
4. Los documentos están dentro ... armario.
5. La clase va a comenzar. Ya están los alumnos dentro ... .

3 Complete estos diálogos con *un, una, unos, unas, el, la, los, las, Ø.*

1. > *La* carpeta está en la estantería.
   < Gracias.
2. > Hay .... parque muy cerca de aquí.
   < ¡Ah! ¡Qué bien!
3. > .... niños están en el parque.
   < ¡Estupendo!
4. > .... aula está en la planta de arriba.
   < Gracias.
5. > Hay .... bolígrafos encima de la mesa.
   < ¿Y dónde está .... el lápiz?

Practique *cómo se usa*

(1: 13)

4 Relacione ambas columnas y forme una oración. Después, escuche y compruebe.

Ej.: **4. f.** *¿Qué hay en el cajón?* → *Material de oficina.*

1. ¿Qué hay en el frutero?	a. En el armario.
2. ¿Dónde está el perro?	b. Tres manzanas y una piña.
3. ¿Donde está la comida?	c. En el lavavajillas.
4. *¿Qué hay en el cajón?*	d. Sí, ahí, detrás de la columna.
5. ¿Hay unos servicios por aquí?	e. Al final de esta calle.
6. ¿Dónde están los pantalones?	f. *Material de oficina.*
7. ¿Dónde están los vasos?	g. Al lado de la cama.
8. ¿Qué hay en esa habitación?	h. En el horno.
9. ¿Dónde está la Plaza Mayor?	i. Una cama, una mesa y dos sillas.
10. ¿Hay pan en casa?	j. Sí, en la panera.

(1: 14)

5 Complete estos diálogos con *hay, está, están*. Después, escuche y compruebe.

1. > ¿Dónde .... *hay* .... un cuchillo?
   < En el cajón.

2. > ¿Dónde .... los vasos?
   < En el armario de la derecha.

3. > ¿................. una papelería por aquí?
   < Sí, en la siguiente calle.

4. > ¿................. tomates?
   < Sí, en la nevera.

5. > La novela .... encima de la mesa.
   < Vale.

6 Describa esta habitación contando qué hay y dónde está.

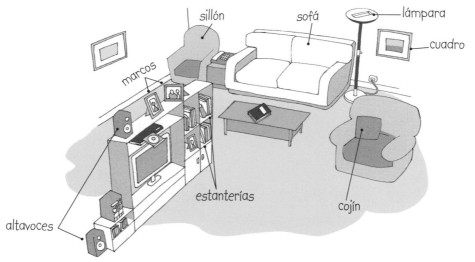

silón   sofá   lámpara   cuadro   marcos   estanterías   cojín   altavoces

En el salón hay ...*una mesa delante del sofá*..
hay *un altavoz abajo y otro* ....
....
....
....

El sofá está ....
....
....
....
....

M I S   C O N C L U S I O N E S

7 Marque verdadero (V) o falso (F).

a. Con *hay* localizamos objetos, personas, lugares determinados: ......

b. Con *estar* preguntamos por la existencia de objetos, personas y lugares: ......

c. Para localizar necesitamos *en, a la derecha, encima de*, etc.: ......

d. *Hay* puede ser singular o plural: ......

e. Podemos decir: «Aquí *hay la* profesora»: ......

5 Estamos muy contentos

ESTAR + ADJETIVOS Y ADVERBIOS ESPECÍFICOS

i FÍJESE!

(1: 15)

1. ¿Qué te pasa?

2. Estoy preocupada, tengo un examen de español y no **estoy bien preparada.** ¿Y tú? **Estás muy contenta,** ¿no? ¿Buenas noticias?

3. Pues sí, **estoy muy contenta** porque ya tengo trabajo.

¿Estás bien? **Tienes mala cara.**

Sí, sí, **estoy bien,** solo **estoy un poco cansado.**

Así se construye

(1: 16)

ESTAR		**Adjetivos que expresan ESTADOS**
Yo	estoy	*contento /-a/-os/-as*
Tú	estás	*cansado /-a/-os/-as (con ser no expresa estado)*
Vos	estás	*vacío /-a/-os/-as*
		lleno /-a/-os/-as
Él / ella / usted	está	*roto /-a/-os/-as*
		+ *preocupado /-a/-os/-as*
Nosotros /-as	estamos	*triste /-s (con ser no expresa estado)*
Vosotros /-as	estáis	*harto /-a/-os/-as*
Ellos /-as / ustedes	están	*dormido /-a/-os/-as*

- Los adverbios **bien** y **mal** también pueden expresar estados acompañados del verbo *estar*:

  ¿Estás bien? *Tienes mala cara.*
  Creo que esta palabra **está mal.**

(Yo) estoy cansada / cansado.
(Ustedes) están preocupadas / preocupados.
El vaso está lleno. / La copa está llena.
Carlota y Lina están contentas. / Diego y Francisco están contentos.
Las gafas están rotas. / Los libros están rotos.

Así se usa

- **Estar + adjetivos específicos**
  (Yo) estoy contento / contenta.
  Los libros están rotos. / Las gafas
  están rotas.

- **Para expresar estados**
  ¡ATENCIÓN!

  Los estados pueden durar mucho o poco,
  incluso pueden ser permanentes.

  Esta habitación **siempre** está vacía.
  Vos **nunca** estás contenta.
  Él **siempre** está preocupado.
  El gato está muerto.

Recuerde: algunos adjetivos siempre van con **estar** porque siempre son estados:
contento, harto, dormido, enfadado, preocupado, vacío, roto, lleno...

¡ATENCIÓN!

Estoy lleno /-a. Estamos llenos /-as = No puedo / No podemos comer más.

- Bien y mal también sirven para valorar.
  Fumar en el cine **está mal.**
- Los estados pueden tener grados.
  Un poco triste, **bastante** triste, **muy** triste.
- Muy va delante de adjetivos y adverbios.
  Muy contento, **muy** lejos. (→ Unidades 15 y 24).
- Muy nunca va solo y no puede acompañar
  ni a nombres ni a verbos.

Está **un poco**   Está **bastante**   Está **muy**
triste.   triste.   triste.

EJERCICIOS

Practique cómo se construye

1   Relacione con flechas las tres columnas. Después, escuche y compruebe.

(1: 17)

1. Yo		preocupadas
2. Usted		contenta
3. Tú		preocupados
4. La tienda	estoy	lleno
5. Vosotros	estamos	rotas
6. Ellos	están	triste
7. Ustedes, señoras,	estáis	vacía
8. El cine	estás	dormido
9. Ella	está	hartas
10. Vos		bien / mal
11. Las ventanas		cansado

2 **Complete con la terminación adecuada.**

Ej.: *El libro est.á. rot.o.*

1. Esta planta est...... muert......
2. Mis amigos est...... preocupad......
3. Esta habitación est...... vací......
4. María est...... content......
5. El metro est...... llen......

6. Carlos, ¿(tú) est...... segur......?
7. Vos siempre est...... trist......
8. Nosotros est...... hart...... de trabajar.
9. Los niños est...... dormid......
10. ¿Est...... (vosotros) cansad......?

Practique cómo se usa

3 **En este cuadro está todo mezclado. Observe y construya oraciones con sentido sin repetir los adjetivos.**

Ej.: *Jorge y Luis están enfadados.*

> Jorge y Luis, el jarrón, contentas, roto, dormidos, enfadados,
> llena, vacíos, las chicas, la discoteca, los niños, los vasos

1. ....
2. ....
3. ....
4. ....
5. ....
6. ....

4 **Complete usando *bien* o *mal* y añada *un poco* (2 veces), *bastante* (1 vez), *muy* (2 veces) delante de la palabra subrayada.**

Ej.: >¿Estás ...*mal*...? <Sí, estoy ...*muy deprimido*.. y lloro todo el tiempo.

1. > ¿Tu padre ya está ....?
   < Sí gracias, ya no está enfermo. Solo está .... <u>cansado</u> pero ya hace vida normal.
2. > ¿Sabes? Estudio mucho cada día.
   < Eso está .... Eres una chica .... <u>trabajadora</u> / <u>estudiosa</u>.
3. > Algunos peatones cruzan sin mirar.
   < Esa costumbre está ...., es .... <u>peligrosa</u>.
4. > Los exámenes están ...., por eso los alumnos tienen buena nota.
   < Pues tus exámenes son .... <u>difíciles</u>; muy, muy difíciles no, pero siempre hay preguntas complicadas.
5. > Estoy .... <u>enfadada</u> con mi hijo. Todos los días hace su cama pero lleva unos días...
   < Tu hijo es estupendo. Con 10 años ayuda mucho en la casa y eso está muy ....

(1: 18)

5 **Complete este correo electrónico con** *estar* **y los adjetivos o adverbios adecuados. Después, escuche y compruebe.**

Ej.: *Estoy un poco / bastante preocupado / triste.*

> Contento / lleno (2) / preocupado / cansado / bien / vacío / agotado

---

Querido Miguel:

Te escribo porque estoy ....; no sé nada de ti. ¿Qué te pasa? ¿Estás ....?

Mi hermano y yo .... muy .... ¡Por fin tenemos la casa en la playa! Es preciosa. Cerca de la casa hay un restaurante nuevo muy bueno, yo como allí todos los días: hoy, sopa de marisco, empanada gallega, paella y tarta de chocolate. ¡Uf! ....; ya no como nada hasta mañana.

El trabajo va muy bien, pero yo .... muy .... porque trabajo nueve horas en el despacho. Cuando salgo, la oficina .... completamente ....

¿Por qué no vienes este fin de semana? El tiempo es bueno y la playa .... de gente. ¡Y comemos en el restaurante nuevo!

Un beso,

Raquel

M I S   C O N C L U S I O N E S

6 **Marque verdadero (V) o falso (F).**

a. Todos los adjetivos pueden ir con el verbo *estar:* ......

b. *Siempre* puede construirse con *estar:* ......

c. El verbo *estar* concuerda con el adjetivo: ......

7 **Elija la opción correcta.**

a. Yo muy estudio.

b. ¡Muy interesante!

c. Tengo muy trabajo.

d. Esta clase siempre está vacía.

e. Esta clase siempre es vacía.

f. Esta clase siempre está vacío.

PRESENTE DE INDICATIVO REGULAR

(1: 19)

i FÍJESE!

¿Por qué **estudiáis** español?

Yo **estudio** español para entender mejor a mi novio.

Yo **estudio** español porque ahora **vivo** en España con mi familia.

Yo, porque **necesito** el español para trabajar.

Así se construye

(1: 20)

PRESENTE DE INDICATIVO

	1.ª CONJUGACIÓN -AR HABL**AR**	2.ª CONJUGACIÓN -ER COMPREND**ER**	3.ª CONJUGACIÓN -IR VIV**IR**
Yo	habl-**o**	comprend-**o**	viv-**o**
Tú	habl-**as**	comprend-**es**	viv-**es**
Vos*	habl-**ás**	comprend-**és**	viv-**ís**
Él / ella / usted	habl-**a**	comprend-**e**	viv-**e**
Nosotros /-as	hablam-**os**	comprend-**emos**	vivim-**os**
Vosotros /-as	habl-**áis**	comprend-**éis**	viv-**ís**
Ellos /-as / ustedes	habl-**an**	comprend-**en**	viv-**en**

* El plural de vos es *ustedes*.

Así se usa

- Para referirse a hechos o realidades generales e intemporales.

    *Las focas **viven** en los Polos.*
    *La Tierra **gira** alrededor del Sol.*
    *Los leones **comen** carne.*

- Para dar información o hablar de una acción o situación en el presente.

    *¿**Hablas** español?*
    ***Comprendo** español, pero no hablo bien.*
    ***Vivo** en España.*

EJERCICIOS

Practique cómo se construye

1 Complete este cuadro con la forma adecuada de los siguientes verbos.

		yo	tú	vos	él / ella / usted	nosotros/ -as	vosotros/ -as	ellos / ellas / ustedes
-ar	PREGUNTAR				*pregunta*			
	ESTUDIAR						*estudiáis*	
-er	RESPONDER							*responden*
	LEER					*leemos*		
-ir	VIVIR		*vives*					
	ABRIR	*abro*		*abrís*				

2 Subraye la forma verbal correcta y complete la tabla con los infinitivos de los verbos.

1. > Mi amiga y yo cantamos / cantáis en un grupo de *rock*.
   < ¿Ah, sí?
2. > ¿Corre / corren más una cebra o un león?
   < No lo sé.
3. > ¿Subís / suben a pie ustedes? ¡Son diez pisos!
   < Sí, el ascensor no funciona / funcionamos.
4. > Clara corres / corre todos los días por el parque.
   < Yo también.
5. > ¿Por qué trabajas / trabaja tanto Ana?
   < Porque ella necesito / necesita dinero.
6. > Habla / hablas usted muy rápido, yo no comprendo / comprendés.
   < Perdón.

-ar	-er	-ir
cantar...		

3 Escriba la persona correspondiente: *yo, tú, vos, él / ella / usted, nosotros /-as, vosotros /-as, ellos /-as / ustedes.*

Ej.: *No comen carne.* → **ellos /-as / ustedes.**

1. Hablamos español en clase: ....
2. Leo el periódico en español: ....
3. Buscas en el diccionario las palabras que no sabes: ....
4. Estudian español en Madrid: ....
5. Veis películas españolas: ....
6. Escribe correos electrónicos a su familia: ....

Practique cómo se usa

4 **Relacione y forme frases.**

1. La energía solar	cruza varios países de América del Sur.
2. Leo	en el campo.
3. Estudian	libros de psicología.
4. El Amazonas	el pan en el mercado.
5. Compro	español dos días a la semana.
6. Viven	no contamina.

5 **Relacione las frases con las personas y escriba las frases correspondientes.**

1. *Mandar mensajes sms.* ....*Samuel*..........

2. Ver dibujos animados con mis nietos. ....

3. Comer cerca del trabajo. ....

4. Estudiar en la universidad. ....

5. Viajar por trabajo. ....

6. Hablar por teléfono con mis hijos. ....

7. Escribir correos electrónicos a los compañeros de clase. ....

ANTONIO (70 años), jubilado	**VICTORIA (35 años), empresaria**	**SAMUEL (20 años), estudiante**
Yo	Yo	Yo ...*mando mensajes sms*...
....	....	....
....	....	....

Antonio: .... y ....

Victoria: .... y ....

Samuel: ......*Mando mensajes sms*...... y ....

6 **Complete estos diálogos con la forma adecuada del presente. Escuche y compruebe.**

(1: 21)

1. > ¿(Hablar, vos) .... inglés?
   < No, solo español y francés.

2. > ¿Dónde (ustedes, vivir) ....?
   < Ella (vivir) .... en Sevilla y yo (vivir) .... en Madrid.

3. > María y Javier (cantar) .... en un grupo de música pop, ¿no?

   > Sí, por eso (ellos, viajar) .... mucho.

4. > ¿Qué (tú, leer) ....?

   < Una novela muy interesante.

5. > ¿Ustedes (trabajar) .... los sábados?

   < Normalmente no, pero hoy tenemos una reunión importante.

7 **Complete este correo electrónico con la forma adecuada del verbo. Después, escuche y compruebe.**

(1: 22)

Querido Juan:

Te (yo, escribir) .... desde Tenerife. Desde enero (yo, vivir) ....
aquí. Los tinerfeños, las personas de aquí, (vivir) .... muy bien y sin estrés.

Ahora (yo, trabajar) .... en un banco. También (yo, estudiar)
.... alemán porque (yo, compartir) .... piso con una
chica alemana, (ella, estudiar) .... español. (Nosotras, practicar)
.... juntas. Ella (hablar) .... alemán, yo (comprendo)
.... pero (contestar) .... en español. Y yo (hablar)
.... español, pero ella (contestar) .... en alemán.

Tenerife es una isla muy bonita... y la vida aquí es muy relajada. En la playa, (yo, leer)
..........................., (escribir) ...., (pasear) .... y
(correr) .... Bueno, (yo, esperar) .... tu visita.

Un abrazo muy fuerte,

Ana

MIS CONCLUSIONES

8 **Complete.**

1. La primera persona (yo) de todos los verbos, ¿termina en **-o**, en **-a** o en **-e**? ....

2. La terminación de la segunda persona de plural (vosotros) en los verbos en **-ar** es ...., en los verbos en **-er** es .... y en los verbos en **-ir** es ....

3. La **-n** es la letra final de: ¿ustedes o nosotros? ....

¿Duermes mucho normalmente?

PRESENTE DE INDICATIVO IRREGULAR (I)

¡FÍJESE!

(1: 23)

1. Estoy agotado. ¿Tú **duermes** bien **normalmente**?

2. Sí, unas ocho horas.

3. ¡Qué suerte! Yo no **puedo** dormir más de cuatro.

¿Qué tal tus clases de inglés?

Bien. Ya **entiendo** un poco más, pero **siempre repito** los mismos errores.

¿Hace deporte **a menudo**?

Juego al tenis **dos días a la semana**.

(1: 24)

Así se construye

Las formas de *nosotros /-as* y *vosotros /-as* siempre son regulares.

e > ie

	PENSAR	ENTENDER	PREFERIR
Yo	pienso	entiendo	prefiero
Tú	piensas	entiendes	prefieres
Vos	pensás	entendés	preferís
Él / ella / usted	piensa	entiende	prefiere
Nosotros /-as	pensamos	entendemos	preferimos
Vosotros /-as	pensáis	entendéis	preferís
Ellos /-as / ustedes	piensan	entienden	prefieren

Otros verbos que se conjugan igual: *empezar, cerrar, querer, perder.*

o > ue

	PODER	VOLVER	DORMIR
Yo	puedo	vuelvo	duermo
Tú	puedes	vuelves	duermes
Vos	podés	volvés	dormís
Él / ella / usted	puede	vuelve	duerme
Nosotros /-as	podemos	volvemos	dormimos
Vosotros /-as	podéis	volvéis	dormís
Ellos /-as / ustedes	pueden	vuelven	duermen

Otros verbos que se conjugan igual: *encontrar, contar, morir, poder, soler.*

e > i / **u > ue**

	PEDIR	JUGAR
Yo	pido	juego
Tú	pides	juegas
Vos	pedís	jugás
Él / ella / usted	pide	juega
Nosotros /-as	pedimos	jugamos
Vosotros /-as	pedís	jugáis
Ellos /-as / ustedes	piden	juegan

Otros verbos que se conjugan igual: *repetir, reír, sonreír.*

¡ATENCIÓN!

Costar se usa normalmente en tercera persona de singular y plural: *cuesta – cuestan.*

Así se usa

- Para hablar de acciones habituales, de costumbres, de la frecuencia.

> **Empiezo** a trabajar a las 7:30 (siete y media).
>
> El despertador **suena** a las 6:00 (seis) de la mañana todos los días.
>
> **Juego** al fútbol una vez a la semana.

- Estas son las expresiones que suelen acompañar al presente en este uso.

– Frecuencia

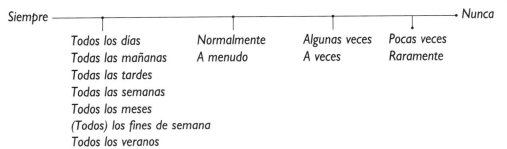

Todos los días	Normalmente	Algunas veces	Pocas veces
Todas las mañanas	A menudo	A veces	Raramente
Todas las tardes			
Todas las semanas			
Todos los meses			
(Todos) los fines de semana			
Todos los veranos			

– Periodicidad: cuántas veces dentro de un periodo de tiempo preciso.

Una vez al día / a la semana / tres veces al día / cuatro veces al mes / una vez al año.

De (martes) a (viernes) → *martes, miércoles, jueves y viernes (no sábados, domingos y lunes).*

Lunes	Martes	Miércoles	Jueves	Viernes	Sábado	Domingo
	Yoga	Yoga	Yoga	Yoga		

Voy a yoga cuatro veces a la semana, de martes a viernes.

– En momentos concretos

> A la una / a las tres y media.
>
> Los veranos / En vacaciones.
>
> Por las mañanas / por las tardes / por las noches.

- **Recuerde** otros usos (→ Unidad 6).

– Para hablar de hechos o realidades generales e intemporales.

> En invierno nieva en el norte de España.

– Para dar información o hablar de una acción o situación en el presente.

> Ahora mismo apago el ordenador; ya no puedo más.

E J E R C I C I O S

Practique *cómo se construye*

1 **Relacione con flechas las tres columnas.**

a. Piensan	1. Cerrar	Irregularidad e > ie
b. Suelo	2. Pedir	
c. Cerramos	3. Morir	Irregularidad o > ue
d. Duermes	4. Soler	
e. Pedís	5. Pensar	Irregularidad e > i
f. Jugás	6. Sonreír	
g. Morimos	7. Jugar	Irregularidad u > ue
h. Sonrío	8. Dormir	

2 **Escuche o lea los ejemplos y complete esta tabla con la forma adecuada.**

(1: 25)

	EMPEZAR	QUERER	SENTIR	CONTAR	PODER	REPETIR
yo			*siento*			
tú					*puedes*	
vos	*empezás*					
él / ella / usted						*repite*
nosotros /-as						
vosotros /-as		*queréis*				
ellos / ellas / ustedes				*cuentan*		

3 **Complete los diálogos con la forma adecuada. Escuche y compruebe.**

(1: 26)

1. > Las clases (empezar) ....*empiezan*.... a las 10:00, ¿vas a venir?
   < No (yo, poder) .... ir.
2. > ¿(Vosotros, dormir) .... hoy aquí?
   < Nosotros no, pero ellos sí (dormir) .... aquí.
3. > Randall (contar) .... historias muy interesantes sobre su país.
   < Sí, es verdad.
4. > ¿Qué (yo, pedir) .... para comer?
   < ¿Por qué no (tú, probar) .... la ensalada griega y el *kebab*? Seguro que (tú, repetir) ....
5. > ¿A qué hora (tú, volver) ....?
   < A las 5.

6. > ¿Qué (tú, preferir) .... , café o té?

< Un café, por favor.

7. > ¿A qué hora (cerrar) .... los centros comerciales?

< A las 10.

8. > No (nosotros, encontrar) .... el diccionario.

< Siempre (vosotros, perder) .... las cosas.

9. > Esta noche hay fútbol, ¿quién (jugar) ....?

< El Real Madrid con el Barcelona.

10. > ¿(Yo, poder) .... abrir la ventana? Hace calor.

< Sí, claro.

4 **Complete las frases con los siguientes verbos.**

empezar / dormir / cerrar / jugar / recordar / pedir / perder / querer / encontrar / costar

1. (Yo) normalmente por las noches ....*cierro*........ la puerta por dentro.

2. (Ellos) tres días a la semana .... las clases a las 10:00.

3. (Tú) los fines de semana .... mucho.

4. (Yo) en verano .... al tenis todos los días.

5. Siempre .... las llaves, soy muy despistado.

6. (Vos) nunca .... dónde está el diccionario.

7. (Yo) nunca .... zapatos de mi número.

8. No, gracias, mamá. No .... más, estoy lleno.

9. Eso .... mucho dinero.

10. (Ella) nunca .... queso de postre.

Practique cómo se usa

5 **Relacione las frases con el uso.**

1. No entiendo español.
2. Los sábados me levanto pronto.
3. ¿Cuánto cuesta el bolígrafo?
4. El cielo es azul.
5. Las tiendas cierran los domingos.
6. Los perros tienen cuatro patas.
7. Siempre pido café con hielo en verano.

a. Acciones habituales: .2...............

b. Hechos o realidades generales e intemporales:

....

c. Situación, acción o información en el presente:

....

Rodrigo trabaja en una biblioteca pública. Observe su calendario y escriba frases con una expresión de tiempo adecuada sin que se repita ninguna.

Una vez al mes / De ... a / Todos los días laborables (excepto los fines de semana) / algunos lunes / los sábados / el domingo / a menudo / el miércoles 17.

Lunes	Martes	Miércoles	Jueves	Viernes	Sábado	Domingo
1 Horario biblioteca: 9-5 Pilates Horario	2 Horario biblioteca: 5-21	3 Horario biblioteca: 5-21 Clases de chino	4 Horario biblioteca: 5-21 Clases de chino	5 Horario biblioteca: 9-5 Clases de chino ¡¡Mi cita mensual para jugar al tenis con Yolanda!! ;-)	6 Hostal El homazo (Salamanca) (llegada 21:30)	7 Regreso a Madrid: AVE 9:00
8 Horario biblioteca: 5-21 Visitar ancianos Hospital La amistad Pilates	9 Horario biblioteca: 5-21 Visitar ancianos Hospital La Salud	10 Horario biblioteca: 5-21 Clase de chino	11 Horario biblioteca: 5-21 Clase de chino Visitar ancianos Hospital La salud	12 Horario biblioteca: 9-5 Clases de chino	13 Hostal La dormida (Salamanca) (llegada 21:00)	14 Regreso a Madrid: AVE 8:40
15 Horario biblioteca: 5-21 Visitar ancianos hospital La amistad Pilates	16 Horario biblioteca: 5-21 Visitar ancianos Hospital La amistad	17 Horario biblioteca: 5-21 Clase de chino <u>Ojo: cerrar yo la biblioteca</u>	18 Horario biblioteca: 5-21 Clase de chino Visitar ancianos Hospital La amistad	19 Horario biblioteca: 9-5 Clase de chino	20 Hostal El Homazo (llegada 21:00)	21 Regreso a Madrid: AVE 8:40
22 Horario biblioteca: 9-5 Visitar ancianos Hospital La Salud Pilates	23 Horario biblioteca: 5-21	24 Horario biblioteca: 5-21 Clase de chino Visitar ancianos Hospital La amistad	25 Clase de chino	26 Horario biblioteca 9-5 Clase de chino Visitar ancianos Hospital La Salud	27 Hostal Farinas (llegada 20:50)	28 Regreso a Madrid: AVE 9:20

Ej.: *Ir a clases de pilates.* → *Los lunes / Todos los lunes va a clase de pilates.*

1. Ir a clases de chino. → ....
2. Jugar al tenis con Yolanda. → ....
3. Dormir en Salamanca. → ....
4. Volver a Madrid de Salamanca. → ....
5. Trabajar en la biblioteca. → ....
6. Visitar a los ancianos de los hospitales. → ....
7. Trabajar de 9 a 5. → ....
8. Cerrar él la biblioteca. → ....

7 **Lea la siguiente entrevista y complete con la forma adecuada del presente de los siguientes verbos.**

> preferir, *volver,* pensar, empezar, jugar, comenzar, cerrar, dormir, contar, pedir, perder, poder, entender.

> Hola, Laura. Queremos saber un poco más sobre los hábitos de los jóvenes como tú. Por ejemplo, los fines de semana, ¿a qué hora ....*vuelves*.... a casa por la noche?

< Pues ...*vuelvo*..... a las dos de la mañana más o menos. Pero solo los sábados y los domingos.

> ¿El domingo? Pero el lunes tienes clases...

< Sí, la verdad, los domingos .... solo cuatro horas porque las clases .... a las 8:30 y yo vivo lejos.

> ¿Tus padres y tú .... lo mismo sobre este horario?

< Ja ja ja... No, ellos .... que los domingos me quede en casa toda la tarde. Ellos no .... que soy joven.

> Y los días que tienes que estudiar..., ¿qué haces?

< Por las mañanas las clases .... a las 8:30 y terminan a las 14:00. Estudio todas las tardes y aproximadamente a las 10.30 .... definitivamente los libros para cenar. ¿Ves? ¡Soy una buena estudiante!

> Ya, claro. ¿Y no dejas los libros un ratito para jugar con el ordenador y relajarte un poco?

< Ah, no, yo no .... a videojuegos; escucho música, pero poco, porque si .... mucho tiempo, luego no .... estudiar bien.

> Y tú, ¿qué les .... a tus padres?

< Siempre quiero ir de vacaciones a Ámsterdam con unos amigos, pero me dicen que no y me .... historias sobre los peligros, las responsabilidades y esas cosas...

■ **Ahora, clasifique en la tabla las acciones que realiza Laura. Fíjese en el ejemplo.**

Los fines de semana, normalmente	Los domingos	Por las mañanas	Por la tarde	Nunca	A veces	Siempre
Vuelve a las dos de la mañana.						

8 **Complete este texto con los verbos *preferir, sonar, empezar, entender* (dos veces), *repetir, cerrar*.**

¡Hola, Mark!

Estoy en España y estoy muy contento, pero es difícil porque la gente habla muy rápido, y no .... mucho. Pero mis amigos son amables y .... despacio. Así .... más.

Aquí estoy muy ocupado, por las mañana el despertador .... a las 7:00 porque las clases .... a las 8:30. Son difíciles, pero divertidas.

Voy en metro o en autobús, pero .... el metro porque es más rápido.

A veces es un poco difícil porque las costumbres y los horarios son diferentes. Por ejemplo, las tiendas .... al mediodía. Pero todo está bien, es divertido.

Un abrazo,

Frank

M I S   C O N C L U S I O N E S

9 **Escriba verdadero (V) o falso (F).**

a. Las formas de *nosotros* y *vosotros* siempre son regulares. ......

b. Los verbos *empezar* y *contar* se conjugan igual. ......

c. Todos los días el despertador suena a las 6:00 no es una acción habitual. ......

10 **Elija la forma correcta.**

a. Piensamos / pensamos.

b. Jugo / juego.

c. Siente / sente.

PRESENTE DE INDICATIVO IRREGULAR (II)

  ¡ F Í J E S E !

(1: 27)

¿Vienes esta tarde al cine?

No, no puedo. **Mañana tengo** examen.

Por favor, ¿hay un metro por aquí?

Sí, **sigue** usted todo recto, **toma** la primera a la izquierda, y después, **tuerce** en la segunda calle a la izquierda.

Así se construye

(1: 28)

	HACER	TENER	DECIR	OÍR
Yo	ha**go**	ten**go**	di**go**	oi**go**
Tú	haces	tie**ne**s	dices	o**y**es
Vos	hacés	tenés	decís	oís
Él / ella / usted	hace	tie**ne**	dice	o**y**e
Nosotros /-as	hacemos	tenemos	decimos	oímos
Vosotros /-as	hacéis	tenéis	decís	oís
Ellos /-as / ustedes	hacen	tie**ne**n	dicen	o**y**en

Otros verbos que se conjugan igual: *poner (pongo), salir (salgo), traer (traigo).*

	CONOCER	CONSTRUIR	SABER	VER
Yo	cono**zc**o	constru**y**o	**sé**	**veo**
Tú	conoces	constru**y**es	sabes	ves
Vos	conocés	construís	sabés	ves
Él / ella / usted	conoce	constru**y**e	sabe	ve
Nosotros /-as	conocemos	construimos	sabemos	vemos
Vosotros /-as	conocéis	construís	sabéis	veis
Ellos /-as / ustedes	conocen	constru**y**en	saben	ven

Otros verbos que se conjugan igual: *traducir (traduzco), conducir (conduzco), destruir (destruyo).*

	IR	DAR
Yo	voy	**doy**
Tú	vas	das
Vos	vas	das
Él / ella / usted	va	da
Nosotros /-as	vamos	damos
Vosotros /-as	vais	dais
Ellos /-as / ustedes	van	dan

¡ATENCIÓN!

En algunos casos, la ortografía cambia pero no hay irregularidad: *coger → cojo*.
Los verbos que se componen de otros verbos irregulares tienen la misma irregularidad.
rehacer, deshacer = hacer

Así se usa

• Para hablar del futuro: acciones y planes seguros y controlados. Suele ir acompañado de estas expresiones:

esta tarde, esta noche, luego	*dentro de tres días*
mañana, pasado mañana	*la semana que viene*
*¿**Vienes** mañana a cenar a mi casa?*	*la semana próxima*

• Para dar instrucciones.

   *Para ir a mi despacho, **sales** del ascensor y la primera puerta a la derecha.*

Recuerde otros usos (→ unidades 6 y 7).

   – Hechos o realidades generales e intemporales.

   *En verano **hace** mucho calor en Madrid.*

   – Para dar información o hablar de una acción o situación en el presente.

   ***Salgo** de trabajar tarde.*

   – Acciones habituales.

   ***Pongo** la lavadora los fines de semana.*

EJERCICIOS

Practique *cómo se construye*

1 Escriba el infinitivo de estos verbos.

1. salgo ....*salir*............
2. tengo ....
3. cojo ....
4. vengo ....
5. sé ....
6. voy ....
7. traduzco ....
8. doy ....
9. hago ....
10. soy ....

2 Clasifique las siguientes formas verbales.

| construís oímos estoy sos traigo sales sé tuercen traducís |
| traduzco doy damos construyen salgo traéis estás torcemos |
| conozco eres conocés vengo ponéis pongo oigo sabemos |

REGULARES	IRREGULARES
............*oímos*............	....
....	............*sos*............
....	....
....	....

(1: 29)

3 Complete la tabla. Después, escuche y compruebe.

	PONER	TORCER	CONDUCIR	SEGUIR	HUIR
yo					
tú		*tuerces*			
vos	*ponés*			*seguís*	
él / ella / usted					
nosotros /-as			*conducimos*		
vosotros /-as					*huis*
ellos / ellas / ustedes					

Practique (cómo se usa)

4 Complete los enunciados con las formas adecuadas de estos verbos. Después, indique el uso.

conocer / ver / dar / poner / torcer / conducir / hacer

1. No (yo) ....*conozco*........ al novio de Silvia.
2. ¿Un banco? Sí, (usted) .... en la primera calle a la derecha y ahí está.
3. Mañana (yo) .... la habitación en orden.
4. La semana que viene .... yo la comida.
5. El lunes (yo) .... las notas del examen.
6. No (yo) .... bien, necesito gafas.
7. ¿Qué (vosotros) .... aquí? ¿Por qué no estáis en clase?
8. ¿Cómo (vos) .... la lasaña?
9. Siempre (yo) .... con cuidado y respeto las señales de tráfico.
10. ¿(Usted) .... a mi jefa?

(1: 30)

5 **Complete estos textos. Después, escuche y compruebe.**

1. (Tú, introducir) ......*introduces*...... una moneda en la ranura de la máquina y (apretar) .... el botón de la bebida que deseas. La bebida (salir) .... inmediatamente.

2. Para ir al metro, usted (seguir) .... todo recto y (tomar) .... la segunda calle a la derecha. Después, (torcer) .... en la tercera calle a la izquierda y ahí está el metro.

3. La receta del salmorejo. (Tú, elegir) .... unos tomates maduros y los pelas. También (quitar) .... las pepitas. (Poner) .... todo en el vaso de la batidora con un diente de ajo, sal, vinagre y un trozo de pan duro con miga. (Batir) .... todo y (echar) .... aceite. (Remover) .... todo y al frigorífico.

6 **Relacione las frases con el uso.**

1. Cueces el huevo durante 10 minutos.
2. Por las mañanas vengo a esta cafetería a desayunar.
3. La semana que viene tengo dos reuniones en París.
4. Los elefantes tienen trompa.
5. En España salgo mucho.
6. Todas las tardes veo televisión en español.

a. Instrucciones ...1..
b. Acciones habituales ......
c. Hechos o realidades generales e intemporales ......
d. Situación, acción o información en el presente ......
e. Futuro ......

M I S   C O N C L U S I O N E S

7 **Marque verdadero (V) o falso (F).**

a. *El lunes, los martes...* se usan para expresar costumbres: ......
b. Algunos verbos son regulares, pero la ortografía cambia: ......
c. Algunos verbos solo son irregulares en la forma *yo:* ....
d. El verbo *saber* es irregular en *yo, tú, él y ellos:* ....
e. El verbo *conocer* es irregular solo en la forma *yo:* ....
f. *Lima es la capital de Perú* expresa una acción habitual: ......
g. *El fin de semana comemos en casa de mis padres* expresa futuro: ....

8 **Responda adecuadamente.**

a. ¿Qué irregularidad tienen en común *poner* y *hacer?*
....
b. ¿Es irregular el verbo *coger?* ....
c. ¿Qué usos nuevos del presente aparecen en esta unidad?
....

9 Dos cafés con leche

LOS NÚMEROS CARDINALES

¡FÍJESE!

(1: 31)

Por favor, **un** té con limón, **uno** con leche y **tres** tés de menta.

Hola, Montse, ¿cómo puedo llegar a tu casa?

Bueno... Es la **una**. A las **dos** estoy en tu casa.

Hola, Clara. Pues es muy fácil: coges la línea **uno** hasta la estación de Bilbao y ahí tomas la línea **cuatro** hasta Argüelles.

Así se construye

(1: 32)

• Los números se escriben en una sola palabra hasta el treinta (30).

0 cero	**7** siete	**14** catorce	**21** veintiuno	**28** veintiocho
1 uno	**8** ocho	**15** quince	**22** veintidós	**29** veintinueve
2 dos	**9** nueve	**16** dieciséis	**23** veintitrés	**30** treinta
3 tres	**10** diez	**17** diecisiete	**24** veinticuatro	
4 cuatro	**11** once	**18** dieciocho	**25** veinticinco	
5 cinco	**12** doce	**19** diecinueve	**26** veintiséis	
6 seis	**13** trece	**20** veinte	**27** veintisiete	

(1: 32)

- A partir del 31 y hasta el 99 se escriben en dos palabras unidas por la letra **y**.

31 treinta **y** uno	**38** treinta **y** ocho	**90** noventa	**700** setecientos /-as
32 treinta **y** dos	**39** treinta **y** nueve	**100** cien / ciento	**800** ochocientos /-as
33 treinta **y** tres	**40** cuarenta	**200** doscientos /-as	**900** novecientos /-as
34 treinta **y** cuatro	**50** cincuenta	**300** trescientos /-as	**1000** mil
35 treinta **y** cinco	**60** sesenta	**400** cuatrocientos /-as	
36 treinta **y** seis	**70** setenta	**500** quinientos /-as	
37 treinta **y** siete	**80** ochenta	**600** seiscientos /-as	

- A partir del 1 000 hasta 999 999:

1001	mil uno /-a	**100 000**	cien mil
1111	mil ciento once	**300 000**	trescientos /-as mil
1200	mil doscientos /-as	**400 000**	cuatrocientos /-as mil
1452	mil cuatrocientos /-as cincuenta y dos	**500 000**	quinientos /-as mil
1500	mil quinientos /-as	**900 000**	novecientos /-as mil
1999	mil novecientos /-as noventa y nueve	**999 999**	novecientos /-as noventa y nueve mil novecientos /-as noventa y nueve
2000	dos mil		
3000	tres mil		

- 1 000 000 y más...

1 000 000	un millón
10 000 000	diez millones
100 000 000	cien millones
200 000 000	doscientos millones
1 000 000 000 000	un billón

- El numeral *mil* es invariable cuando expresa cantidades. Si nos referimos a una cantidad indeterminada se usa *miles + de + sustantivo*.

  *Tengo **mil euros** en la cuenta.*

  *Hay **miles de personas** manifestándose en la calle.*

- Los años siempre son masculinos.

  *La primera gramática de la lengua castellana se publica en 1492 (mil cuatrocien**tos** noventa y dos).*
  Se escriben sin punto.

- El numeral *millón* es masculino y concuerda con los numerales que lo preceden.

  *Trescien**tos** millones.*

  Los numerales que van detrás de *millones* concuerdan con el nombre al que se refieren.

  *Trescien**tos** millones trescien**tas** mil **personas**.*

Así se usa

- Con los números cardinales expresamos cantidades. Acompañan a los sustantivos, pero también pueden aparecer solos.

  *Los gatos tienen **siete** vidas.*
  > ¿Cuántos años tienes?
  *< **Dieciocho,** ¿y tú?*

- El numeral **uno.**
  - Cuando va delante del sustantivo se convierte en **un.**
    *Por favor, **un** café solo.*
  - Concuerda en masculino o femenino con el sustantivo al que acompaña.
    > Tengo muchas amigas extranjeras.
    < ¿Y amigos?
    *> Solo **uno.***
    *< Pues yo al revés: tengo **una amiga** extranjera y muchos amigos.*

¡ATENCIÓN!

Es **uno** de mayo.

Es **veintidós** de junio.

- El numeral **cien / ciento.**
  - **Cien** se usa delante de sustantivos y **ciento** se usa en todos los demás casos.
    *> Quiero vivir **cien** años.*
    *< Yo... quiero vivir... **ciento veinte.***
    > ¡Exagerado!
  - Para expresar el porcentaje usamos la expresión **por ciento** detrás del número.
    *Ganamos un **tres por ciento** (3 %) más que el año pasado.*

- Los números del 200 al 999 concuerdan en género y número con los sustantivos a los que acompañan.
  *Tenemos **trescientas** personas inscritas en el curso.*
  *La catedral de Santiago tiene más de **setecientos** años.*

EJERCICIOS

Practique cómo se construye

(1: 33)

1 Este es el contenido de diez maletas encontradas en el aeropuerto. Escuche y escriba los números correspondientes.

1. (25) .... relojes de oro.
2. (115)... pares de zapatos.
3. (50) ....*cincuenta*......................... abrigos de piel.
4. (1) .... ordenador portátil.
5. (30) .... teléfonos móviles.
6. (42) .... collares de perlas.
7. (31) .... anillos y sortijas.
8. (15) .... tarjetas de crédito.
9. (17) .... cheques al portador.
10. (98) .... agendas electrónicas.

2 Lea las frases y escriba las cantidades correspondientes.

Ej.: *Mi número de teléfono es el 0952 64 08 31→ cero nueve cinco dos – seis cuatro – cero ocho – tres uno. / Cero nueve cincuenta y dos – sesenta y cuatro – cero ocho – treinta y uno.*

1. Mi número de teléfono es 091 455 58 92. ....
2. El cumpleaños de Marta es el (30) .... de abril.
3. Vivo en el número (100) .... de la avenida de la Libertad.
4. El tren con destino Lisboa está estacionado en la vía (10) .... y tiene su salida a las (14:15 h) ....
5. Mi amiga Meli tiene (6) ...... gatos, (3) ...... perros y (1) ...... canario.
6. Tengo (1050) .... seguidores en Facebook.
7. Vivo en una casa de (70) .... metros cuadrados y pago (400) .... euros de alquiler.

(1: 34)

3 Escriba la hora que señalan estos relojes. Después, escuche y compruebe.

| 18:15 | 22:30 | 13:45 | 17:50 |

dieciocho quince   ....

4 **Corrija los números.**

1. Tenemos (2000) dos miles libros: .....*dos mil*.............

2. La televisión llega a España en (1956) mil nuevecientos cincuenta y seis:
....

3. Según la FIFA, más de (909 000 000) nueve cien millones de personas ven la final de la Copa Mundial: ....

4. Esta ciudad tiene (2 500 000) dos millones quinientas mil habitantes:
....

5. Chile mide (4329) cuatro mil y trescientos veinte y nueve kilómetros de largo:
....

Practique cómo se usa

5 **Relacione y forme frases. A continuación, escriba las cifras.**

1. Los hoteles pueden tener...
2. El teléfono móvil de Óscar es...
3. El número premiado de lotería es...
4. Según es Instituto Cervantes más de...
5. La primavera empieza...
6. Son las...
7. Mi DNI es...

a. doce del mediodía. ....
b. cuatrocientos cincuenta millones de personas hablan español en el mundo. ....
c. el veintiuno de marzo, ¿verdad? ....
d. cinco estrellas. ....
e. Veinte mil cinco. ....
f. seis, uno, seis, ocho, uno, siete, dos, seis, uno.
....
g. el veintitrés millones ciento cuarenta mil seiscientos siete.

6 **Complete los huecos. Elija entre las siguientes cifras sin repetir ninguna.**

cuarenta y dos; cuatro; una o dos; tres; treinta y ocho; diez; dos

A. En una tienda

> ¿Qué talla tiene? ¿La ....?

< No, no, la ....*treinta y ocho*......................

B. En un bar

> Buenas tardes.

< Hola, queremos .... cafés solos; .... cortados y ...*uno*... con leche.

C. En la clase

> No tengo hojas de papel, ¿me prestas?

< Sí, puedo prestarte ....

> Gracias, pero solo necesito ....

D. Por teléfono

> Hola, Carmen, soy Inés. ¿Tienes el teléfono de Carlos?

< Hola, Inés. Sí, tengo los ...., el fijo y el móvil. ¿Cuál quieres?

> Prefiero el fijo.

7 **Los días y los meses. Complete escribiendo con letras estas cifras.**

> 8 – 4 – 28 – 5 – 19 – 30 – 25 – 31 (dos veces)

1. Hay un mes con ....*veintiocho*......... días. .... meses tienen .... días y todos los demás tienen ....

2. Hoy es .... de junio.

3. El .... de abril es mi cumpleaños.

4. El .... de marzo es el Día de la Mujer Trabajadora.

5. La Navidad es el .... de diciembre, un mes con .... días.

8 **Los más grandes. Complete con una cifra lógica, pero escríbala en letras. Después, escuche y compruebe.**

(1: 35)

> 6800 – 828 – 45 700 – 110 – 21 196 – 35 000 000

1. La muralla china mide .... kilómetros.

2. El edificio más alto del mundo está en Dubai y mide .... metros.

3. La cantidad de agua de las cataratas de Iguazú es de .... metros cúbicos por segundo.

4. Tokio, con .... habitantes, es la ciudad más poblada del mundo.

5. El río Amazonas es el más largo del mundo. Mide .... kilómetros.

6. El diamante más grande del mundo pesa casi .... gramos.

MIS CONCLUSIONES

9 **Marque verdadero (V) o falso (F).**

a. Todos los números son invariables: ....

b. Delante de un sustantivo *uno* no cambia: ....

c. *Ciento* + sustantivo cambia a *cien*: ....

d. Los años son siempre masculinos: ....

FÍJESE!

(1: 36)

¿Vamos a una discoteca?

No, ya sabes que no me gustan **las discotecas**. No me gusta bailar.

1. No me gusta el arte minimalista.

2. A mí tampoco.

3. Pues a mí sí.

4. A mí también.

¿Quieres un café?

No, muchas gracias, ahora no **me apetece**.

Así se construye

Presente de *gustar, interesar, encantar, apetecer, molestar, doler*

(A mí)	me		
(A ti / a vos)	te		
(A él / ella / usted)	le	*gusta, interesa, encanta,*	+ infinitivo / sustantivo en singular
(A nosotros /-as)	nos	+ *apetece, molesta, duele*	(concuerda con el verbo)
(A vosotros /-as)	os	(verbo en singular)	
(A ellos / ellas / ustedes)	les		

*(A mí) me gust**a** / me encant**a la música**. (A nosotras) nos gust**a** / nos encant**a la música**.*
*A mis amigas les gust**a leer**. A Eugenia le gust**a Bebo Valdez,** el pianista.*

-58-

(A mí)	me			
(A ti / a vos)	te			
(A él / ella / usted)	le	*gustan, interesan, encantan,*		+ sustantivo en plural
(A nosotros /-as)	nos	+ *apetecen, molestan, duelen*	}	(concuerda con el verbo)
(A vosotros /-as)	os	(verbo en plural)		
(A ellos / ellas / ustedes)	les			

*No me gustan **los bares ruidosos.** ¿Te gustan **los Rolling Stones?***

Así se usa

- Los pronombres **me, te, le, nos, os, les,** representan las personas que sienten el gusto, el dolor, etc.

  *¡Ay, ay! **Me** duelen las muelas!* (**Yo** siento el dolor.)

  ***(A nosotras) nos** encanta la música.* (**Nosotras** sentimos el gusto.)

  *A mis amigas **les** gusta leer.* (**Mis amigas** sienten el gusto.)

- Las construcciones ***a mí, a ti, a usted,*** etc., solo son necesarias para responder a otra persona que ya ha expresado sus gustos, intereses, etc., o para contrastar los de varias personas.

  > *Hoy es la fiesta de fin de curso.*

  < *Ya lo sé, pero no **me apetece** ir.*

  > *Pues **a mí** sí.*

- Para mostrar que compartimos lo dicho por otra persona usamos ***a mí también*** si la persona afirma.

  > ***Me gustan** las flores.*

  < ***A mí también*** *(me gustan las flores).*

- Para mostrar que compartimos lo dicho por otra persona usamos ***a mí tampoco*** si la persona niega.

  > ***No me gustan** los viajes largos.*

  < ***A mí tampoco*** *(me gustan los viajes largos).*

- Para mostrar que no compartimos lo dicho por otra persona usamos ***(Pues) a mí no*** si la persona afirma.

  > ***Me gusta** la música clásica.*

  < *(Pues) **a mí no** (me gusta).*

- Para mostrar que no compartimos lo dicho por otra persona usamos ***(Pues) a mí sí*** cuando la persona niega.

  > ***No me gusta** la comida picante.*

  < *(Pues) **a mí sí** (me gusta).*

- *Encantar* no puede construirse con *mucho, muchísimo, un montón* u otras expresiones ponderativas.

  Me encanta ~~mucho~~ el chocolate.

¡ATENCIÓN!

*A mí gusta el cine → (A mí) **me** gusta el cine.

Me y los otros pronombres son obligatorios y pueden aparecer solos, sin **a mí, a ti, a él,** etc.

PERO
- ¿A quién le gusta el cine?
- ○ **A mí.**
- ● Pues **a mí** no.

A mí, a ti, etc. pueden aparecer solos, sin verbo detrás.

EJERCICIOS

Practique cómo se construye

 1 Complete las frases con el verbo *gustar* en singular o plural.

Ej.: *Nos gusta esa idea. / Nos gustan esas ideas.*

1. Nos .... mucho salir de excursión los fines de semana.
2. ¿A vos te .... vivir en España?
3. A mis hermanos les .... las películas de ciencia ficción.
4. No me .... los exámenes orales.
5. Me .... la gente sincera y amable.
6. En mi tiempo libre me .... leer.

 (1: 37)

2 Escriba el pronombre adecuado. Después, escuche y compruebe.

Ej.: *(Yo) **Me** encanta el dulce de leche.*

1. (Nosotros) .... interesa tener más información.
2. ¿(Ustedes) .... gusta este modelo de coche?
3. ¿(Tú) .... duele la cabeza?
4. No (ellas) .... apetece mucho salir por la noche.
5. (Yo) .... molestan los ruidos de la calle.
6. ¿(Vos) .... interesan los documentales sobre animales?

3 Forme todas las frases posibles usando elementos de las cuatro columnas.

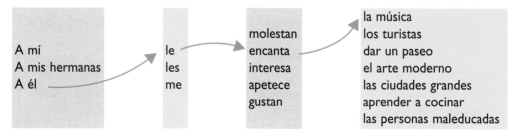

			la música
		molestan	los turistas
A mí	le	encanta	dar un paseo
A mis hermanas	les	interesa	el arte moderno
A él	me	apetece	las ciudades grandes
		gustan	aprender a cocinar
			las personas maleducadas

4 Mire los dibujos, seleccione el verbo adecuado y escriba una frase debajo de cada uno según el modelo y sin repetir ninguno.

interesar / gustar / molestar / encantar / doler

Pepe – pies

la espalda – abuelo

los mosquitos – Lorenzo

1. *A Pepe le duelen los pies.*

2. ....

3. ....

las noticias – Jessica

la música – tú

bailar – yo

4. ....

5. ....

6. ....

Practique cómo se usa

(1: 38)

5 Lea estos diálogos sobre gustos y preferencias. Transforme el infinitivo y añada el pronombre adecuado. Después, escuche y compruebe.

A. De los alumnos y los profesores

Alumna: A los profesores (encantar) ....*les encanta*........ hacer exámenes y preguntar en clase, ¿verdad?

Profesora: Sí, pero también (gustar) .... hablar con los alumnos de sus cosas. ¿Y a vosotros?

Alumna: A los alumnos (gustar) .... los profesores simpáticos y los exámenes fáciles.

B. De los compañeros de piso

Juan: Yo estudio por la noche y (molestar) .... los ruidos.

Lucía: A mí también (molestar) .... los ruidos, pero todo el día, no solo por la noche.

Miguel: Pues a mí (encantar) .... la música, pero llevo auriculares, así no (molestar) .... la música.

Susana: Pues a mí (doler) .... la cabeza casi todos los días, así que (molestar) .... los ruidos, la música, la tele..., todo.

6 **Complete los diálogos usando *apetecer, encantar, gustar* y *molestar.***

a) > ¿Sabes? Ahora vivo en el centro de Madrid.

< ¿Y no ....*te molestan*........ los ruidos?

> No, mi calle es muy tranquila.

b) > Es el cumpleaños de Eugenia. Podemos comprarle un CD de Maná.

< Sí, a ella .... mucho ese grupo mexicano.

> A mí también.

c) > Vamos al cine, ¿te .... venir?

< Sí, me .... mucho, pero no puedo, tengo clase.

d) • Mañana es la boda de Antonio y Sara.

○ Ya lo sé, pero no me .... nada ir.

• A mí tampoco.

• Pues a mí sí, ... las bodas.

7 **Complete los diálogos expresando acuerdo (☺) o desacuerdo (☹).**

Ej.: > *Me gustan los chicos guapos.* ☺   > *No me gustan los chicos guapos.* ☹
   < *A mí también.*   < *(Pues) a mí sí.*

1. > No me gusta ir de tiendas.

< (Pues) ☺..

2. > Nos encanta el campo.

< (Pues) ☹..

3. > Me molesta el calor.

< (Pues) ☺..

4. > No me interesan nada las matemáticas.

< (Pues) ☹.., mucho.

5. > Me duele mucho la espalda.

< (Pues) ☹..

8 Aquí tiene las características de dos personas. Observe después la lista. ¿Qué cree que les gusta, les interesa, les molesta de todo lo que hay en la lista?

Anzo: vegetariano, vive en Brasil, deportista, le gusta estar al aire libre, no le gusta estar con mucha gente, lee mucho, escucha música clásica y *jazz*.

Martina: abierta, imaginativa, pasa mucho tiempo en casa, le gusta comer, le apasiona inventar recetas, no le gusta el deporte, le gusta salir con amigos.

leer
bailar
la fruta
los tomates
la cocina griega
la comida original
la carne
los libros de cocina
viajar en globo
el tenis
estar al aire libre
hablar con amigos

Ej.: Le gusta / no le gusta → *Yo creo que a Anzo le gustan los tomates y no le gustan* ....

....

Y a Martina ....

A los dos ....

M I S   C O N C L U S I O N E S

9 Marque verdadero (V) o falso (F).

1. El pronombre *le* puede referirse a *usted:* ......
2. La forma *gusta* va seguida de sustantivos en plural: ......
3. *(Pues) a mí no* se usa para mostrar acuerdo: ......
4. Las construcciones *a mí, a ti, a él, a ella,* etc., siempre aparecen solas: ......

10 Elija la forma correcta.

a. Me *gustan / gusta* trabajar.
b. Les interesa *el cine / las películas.*
c. > Me encantan las flores.
   < *A mí sí / a mí también.*
d. > No me gusta el café con leche.
   < *A mí tampoco / a mí también.*

11 ¿Qué me pongo?

LOS INTERROGATIVOS

FÍJESE!

(1: 39)

- ¿**Cómo** te llamas? > Juan Hernández.
- ¿**Dónde** vives? > En Madrid.
- ¿**De dónde** eres? > De Almería.
- ¿**Cuántos** años tienes? > 19.
- ¿**Qué** te gusta hacer en tu tiempo libre? > Jugar al fútbol, leer, ver películas, salir con los amigos.
- ¿**Cuál** es tu número de teléfono? > El 327 92 53.
- ¿**Cuántos** idiomas hablas? > Tres.
- ¿**Cuándo** puedes empezar? > Mañana mismo.

> Esta noche voy a cenar a la embajada. ¿**Cuál de estos** me pongo?

> El negro, ¿no?

Así se construye

- Los interrogativos pueden ir:

Seguidos de verbos		Seguidos de sustantivos
Adónde	¿**Adónde** va?	– Cuánto /-a /-os /-as
Cómo	¿**Cómo** se llama?	¿**Cuántos** años tienes?
Cuándo	¿**Cuándo** vuelves?	
Cuánto	¿**Cuánto** cuesta?	– Qué
Cuál	¿**Cuál** les gusta?	¿**Qué** falda te gusta?
Dónde	¿**Dónde** vives?	
Qué	¿**Qué** busca usted?	
Quién(es)	¿**Quiénes** son ustedes?	

- Los interrogativos pueden ser:

invariables	singular	plural		masculino	femenino	
Cómo	Quién	Quiénes		Cuánto	Cuánta	**singular**
Dónde	Cuál	Cuáles		Cuántos	Cuántas	**plural**
Qué						
Cuándo						

- Cuando necesitan una preposición, esta va delante del interrogativo: ¿**De dónde** eres?
- Las preguntas llevan el signo de interrogación al principio y al final de la frase: **¿ ?**

Así se usa

- Para preguntar por:
  - personas: **quién / quiénes.**
  - cosas y acciones: **qué.**
  - el lugar: **dónde.**

- **Qué / cuál**

  - **Qué + sustantivo:**
    ¿Qué libro te gusta más?

  - **Qué + verbo:**
    - Elegimos entre cosas diferentes.
      ¿Qué quieres, un té o un café?
    - Se usa en preguntas abiertas, con dos o más respuestas posibles.
      ¿Qué estudias? / ¿Qué haces?

  - **Qué + ser:**
    - Se usa para pedir una identificación o definición.
      ¿Qué es esto?
      ¿Qué es un sms?

  - el modo de ser o de hacer algo: **cómo.**
  - el tiempo o momento: **cuándo.**
  - la cantidad: **cuánto, cuánta, cuántos, cuántas.**

  - **Cuál + de:**
    ¿Cuál de estos te gusta más?

  - **Cuál + verbo:**
    - Se usa para hacer una elección entre cosas iguales que se diferencian por la forma, el color, etc.
      ¿Cuál quieres, el negro o el rojo?

  - **Cuál + ser:**
    - Se usa para hacer una elección dentro de un conjunto.
      ¿Cuál es tu color preferido?
    - Pregunta fija:
      ¿Cuál es la diferencia entre…?

¡ATENCIÓN!

Preposición + interrogativo: *Estoy hablando con mi perro.* → *¿**Con quién** hablas?*
El Iphone es de Lara. → *¿**De quién** es el Iphone?*

EJERCICIOS

Practique *cómo se construye*

 Complete con *cuánto / cuánta / cuántos / cuántas.*

Ej.: *¿**Cuántas** habitaciones tiene tu piso?*

1. ¿.............................. tortilla quieres?
2. ¿.............................. libros tienes?
3. ¿.............................. hijas tienes?
4. ¿.............................. tiempo necesitas para terminar?
5. ¿.............................. cuesta una computadora?
6. ¿.............................. gente viene?

2 Complete con *quién / quiénes.*

Ej.: *¿**Quiénes** son tus profesores?*

1. ¿.......................... eres?
2. ¿.......................... son ellos?
3. ¿.......................... es tu hermana?
4. ¿.......................... son tus amigos?
5. ¿.......................... sos vos?
6. ¿.......................... es tu madre?

Practique cómo se usa

3 Complete usando *qué, quién, quiénes, dónde, cómo, cuánto, cuánta, cuántos, cuántas, cuándo.* Después, escuche y compruebe.

(1: 40)

Ej.: > *¿**Dónde** están los libros? < En la estantería.*

1. > ¿................. es tu amigo?
   < Es bajo y un poco gordo.
2. > ¿................. es tu cumpleaños?
   < El 5 de abril.
3. > ¿Con .... hace la tortilla de patatas?
   < Con huevos, patatas, cebolla, aceite y sal.
4. > ¿................. vivís?
   < En un pueblo, cerca de Buenos Aires.
5. > ¿................. sobrinos tienes?
   < Seis.
6. > ¿................. haces la paella, con o sin carne?
   < Depende...
7. > ¿................. dinero tienes?
   < 10 euros.
8. > ¿De .... es este libro?
   < Es mío.
9. > ¿................. son esos chicos?
   < Son unos compañeros de clase.
10. > ¿................ vale la entrada del cine?
    < No lo sé.

4 Complete con *qué* o *cuál.*

1. > ¿............... de estos es tu libro?
   < El de historia.
2. > ¿............... lees?
   < Una novela de Vargas Llosa.
3. > ¿............... película quieres ver?
   < La de Amenábar.
4. > ¿......... es la diferencia entre *qué* y *cuál?*
   < ¡Qué pregunta!
5. > De estos colores, ¿......... te gusta más?
   < El rojo.
6. > ¿............... museo te gusta más, el Prado o el Reina Sofía?
   < Los dos.
7. > ¿............... es tu escritor favorito?
   < Cervantes.
8. > ¿............... quieres tomar?
   < Un café solo.
9. > ¿................ desea de postre?
   < Una tarta.
   > Tenemos muchas: de chocolate, de manzana... ¿................ prefiere?
10. > ¿................ de estos alumnos estudia más?
    < Todos estudian mucho.

5 Complete con preposición + interrogativo. Escuche y compruebe.

(1: 41)

1. > ¿....*De dónde*..... es tu amigo?
   < De Bolivia.

2. > ¿........................ vas al cine?
   < Con un amigo español.

3. > ¿.................... vas a la universidad?
   < En metro.

4. > ¿........................ escribes los exámenes?
   < Con bolígrafo.

5. > ¿ .... estás enamorada?
   < De Pepe.

6 Complete y relacione.

1. ¿*Cómo* pedimos los patatas?
2. ¿................ empiezan las clases?
3. ¿................ botellas de agua compramos?
4. ¿................ está tu madre?
5. ¿................ es esa chica?
6. ¿................ está Silvia?
7. ¿................ necesitas?
8. ¿................ necesitas?

a. Ángela
b. Bien, gracias
c. En la biblioteca
d. Fritas o asadas
e. El miércoles
f. Un bolígrafo
g. El verde
h. Cinco

7 Escriba las preguntas a estas respuestas.

1. > ¿......*Cuál es tu correo electrónico*......?
   < chartu@terrina.dr

2. > ¿..?
   < Es moreno, alto y tiene los ojos verdes.

3. > ¿..?
   < Podemos pedir unas ensaladas.

4. > ¿..?
   < Cuesta 20 euros.

5. > ¿..?
   < Una novela de Marta Sanz.

6. > ¿..?
   < Está en Barcelona.

MIS CONCLUSIONES

8 Marque verdadero (V) o falso (F).

a. En las preguntas, la preposición va delante del interrogativo: ....
b. Todos los interrogativos son invariables: ....
c. El signo de interrogación solo va al final de la frase: ....
d. *Cuál* es una elección entre diferentes cosas: ....

9 Elija la solución correcta.

a. ¿*Cuál te llamas?* / ¿*Cómo te llamas?*
b. ¿*Dónde vives?* / ¿*Quién vives?*

12 Me levanto muy temprano
CONSTRUCCIONES REFLEXIVAS

 ¡ FÍJESE !

(1: 42)

¿Qué hacen normalmente por las mañanas?

Yo **me levanto**, voy al *baño* y **me ducho**. Luego **me arreglo** y *salgo de casa*.

Pues yo **me afeito, me ducho**, desayuno, **me lavo** los dientes y luego voy a trabajar.

Yo primero *baño* y arreglo a los niños, que son pequeños. Luego **me arreglo** yo. Por eso **nos levantamos** muy temprano.

Así se construye

(1: 43)

Verbos en construcción reflexiva

		DUCHARSE	DESPERTARSE*	VESTIRSE**
Yo	**me**	ducho	despierto	visto
Tú	**te**	duchas	despiertas	vistes
Vos	**te**	duchás	despertás	vestís
Él / ella / usted	**se**	ducha	despierta	viste
Nosotros /-as	**nos**	duchamos	despertamos	vestimos
Vosotros /-as	**os**	ducháis	despertáis	vestís
Ellos /-as / ustedes	**se**	duchan	despiertan	visten

* Se conjuga como *pensar*. ** Se conjuga como *pedir*.
Para la conjugación irregular (→ Unidad 7).

Otros verbos en construcción reflexiva

peinarse / acostarse / despertarse / divertirse / aburrirse / sentirse / maquillarse

- En las construcciones reflexivas coinciden el pronombre sujeto (explícito o no) con la persona del verbo y los pronombres átonos:

Yo → (me)   Nosotros /-as → (nos)
Tú → (te)   Vosotros /-as → (os)
Vos → (te)   Ellos /-as / ustedes → (se)
Él / ella / usted → (se)

    (Yo) <u>me</u> **ducho** *por la noche, ¿y tú?* / **(Ellos)** <u>se</u> **acuestan** *a las 9:00.*

- Los pronombres átonos van delante del verbo (→ Unidades 20 y 21).

    Yo <u>me</u> *lavo los dientes tres veces al día.*

    En casa <u>**nos**</u> *acostamos todos los días a las 11:30 (once y media).*

Así se usa

- Los verbos en construcción reflexiva se usan cuando la acción es recibida por la misma persona que la realiza.

    (Yo) **me baño.** / *(Ellas / ustedes)* **se duchan.**

    Nos *lavamos* **las manos.** / **Me** *pinto* **las uñas.**

- Cuando la acción no es recibida por el sujeto que la realiza, el verbo no lleva pronombres átonos.

    Me baño. / **Baño a los niños.** / *Me pinto las uñas.* / **Pinto cuadros.**

¡ATENCIÓN!

No se dice *Lavo mis manos,* se dice *Me lavo las manos.*

EJERCICIOS

Practique cómo se construye

1 Complete el cuadro.

	Peinarse	Acostarse	Sentirse	Sentarse
yo			*me siento*	
tú		*te acuestas*		
vos				
él / ella / usted				
nosotros /-as				*nos sentamos*
vosotros /-as				
ellos / ellas / ustedes	*se peinan*			

2 Lea estas frases y subraye las construcciones reflexivas.

Ej.: *Corta el agua. / Me corto las uñas una vez a la semana.*

1. Después de comer, me lavo los dientes y luego lavo los platos.
2. Visto a los niños y después me visto yo.
3. Pinto con los niños por las tardes.
4. Me pinto antes de salir de casa.
5. Primero me despierto yo y luego despierto a toda la familia.
6. Yo acuesto a mis hijos pequeños. Los mayores se acuestan solos.
7. El perro siempre levanta las patas para saludar a Carlos.
8. Esta mañana me he levantado hecho polvo. No quería ir a trabajar.

3 Complete estos diálogos con el pronombre adecuado. Escuche y compruebe.

(1: 44)

Ej.: *¿Siempre ....te.... vistes de negro?*

1. > ¿A qué hora .... levantas?
   < A las 7:00.
2. > .... acuesto a las doce, ¿y tú?
   < Yo a las once.
3. > Bruno .... afeita todos los días.
   < Yo también.
4. > ¿(Usted) .... despierta pronto?
   < No, ¿y usted?
5. > ¿(Vosotros) .... divertís en Madrid?
   < Sí, ... divertimos mucho.

6. > ¿(Vos) .... levantás muy temprano?
   < No, no mucho, a las 8:30.
7. > ¿........ arregláis para salir esta noche?
   < No, nosotros nunca .... arreglamos mucho para salir.
8. > ¿ .... sientas delante o detrás?
   < Delante, detrás me mareo.

Practique cómo se usa

4 Transforme el infinitivo y escriba el pronombre adecuado.

Ej.: *Yo (aburrirme)* → **me aburro** *cuando estoy solo.*

1. ¿(Usted) no (sentarse) .... un rato a descansar?
2. Ellas (bañarse) .... en la piscina del hotel cada mañana.
3. Nosotros (acostarse) .... pronto.
4. ¿Tú (afeitarse) .... todas las mañanas?
5. María (maquillarse) .... todos los días en el trabajo.
6. Juan (lavarse) .... los dientes después de cada comida.
7. Yo (sentirme) .... muy bien aquí.
8. ¿Cómo .... (llamarse) ustedes?

(1: 45)

5 **Complete esta encuesta con los siguientes verbos:** *afeitarse, vestirse, bañarse, peinarse, pintarse, levantarse, acostarse, lavarse* **y** *ducharse.* **Escuche y compruebe.**

¿Qué hacen en estos casos ustedes o las personas que conocen?

a. Para sentirse limpios / limpias

Sonia: Yo ......*me ducho*........ dos veces al día.

Inés: En mi casa, nosotros no ....; ....
para ahorrar agua.

José: Pues mi hijo .... las manos todo el rato.

b. Para sentirse guapos / guapas

Luis: Mis amigas .... y .... con mucho estilo.

Irene: Pues yo solo .... los labios.

Johan: Y yo .... y .... con ropa elegante.

c. Para sentirse descansados

Ana y Juan .... todas las noches muy temprano.

Ellos .... con agua muy caliente antes de acostarse.

Al día siguiente .... muy bien, en plena forma para trabajar.

6 **Elija entre los verbos siguientes y complete estas frases lógicas.**

sentarse / vestirse / sentirse / despertarse / ducharse / lavarse / bañarse / afeitarse

1. Solo (nosotros) .... cuando estamos dormidos.
2. (Tú) .... porque te crece la barba.
3. Ustedes .... mejor si antes .... mal.
4. Normalmente, la gente .... los dientes después de comer, no antes.
5. (Yo) .... porque estoy desnudo.

MIS CONCLUSIONES

7 **Marque verdadero (V) o falso (F).**

a. Los pronombres átonos van en la misma persona que el verbo y el sujeto: ......

b. Las construcciones reflexivas siempre se refieren a una parte del cuerpo: ......

c. La forma del pronombre es la misma para él y para ellos: ......

8 **Elija la opción correcta.**

a. La gente nos visten.

b. La gente se viste.

c. Me acuesto.

d. Se acuesto.

e. Os pintás las uñas.

f. Te pintás las uñas.

13 ¿Adónde vas?

LAS PREPOSICIONES

(1: 46)

FÍJESE!

> 1. Esta noche, **a** las diez, voy al cine.

> 3. Voy **con** Silvia.

> 2. ¡Ah!, ¿sí? ¿Y **con** quién vas?

> 1. ¿**Adónde** van ustedes tan deprisa?

> 3. ¿Y **de** dónde vienen?

> 2. Vamos **a** casa.

> 4. Venimos **del** bingo.

> 1. ¿Cómo vais **a** Barcelona?

> 3. ¿Pasáis **por** Zaragoza?

> 2. Vamos **en** coche.

> 4. Sí, es más rápido.

Así se construye

- Las preposiciones pueden acompañar al mismo verbo para expresar significados diferentes:
  - **Ir** de / a / por / en / con / para
    Voy **de** (procedencia) Madrid **a** (dirección) Almería **por** (lugar por el que pasa / recorrido) Murcia **en** (medio de transporte) tren **con** (compañía) mis tías **para** (finalidad) pasar allí unos días.
  - **Estar** en / con
    Estamos **en** (localización) casa **con** (compañía) unos amigos **para** (finalidad) ver el partido.
- Recuerde que, cuando se construye con un interrogativo, la preposición va siempre delante:
  > ¿**Con quién** vas?
  < Voy con Antonio.

La preposición **EN** suele acompañar a los verbos que expresan o pueden expresar localización.

$$\left.\begin{array}{l}\textit{estar}\\\textit{poner}\\\textit{hay (haber)}\\\textit{dejar / guardar}\end{array}\right\} \;+\;\; \textbf{EN}$$

- Verbos que expresan movimiento:

    ir, venir, pasar, viajar, llegar, etc. + A / DE / EN / CON ...

- La preposición **PARA** puede llevar detrás infinitivo:

    > *¿Y este cuaderno?*

    < *Es **para hacer** los ejercicios de español.*

¡ATENCIÓN!

- **A + el** (artículo) = **AL** (→ Unidad 1)

    > *¿**Adónde** vas?* / *¿**A dónde** vas?*

    < *Voy **al** cine.*

    – La preposición **A** + **DÓNDE** pueden formar una o dos palabras.

- **De + el** (artículo) = **DEL** (→ Unidad 1)

    > *¿**De dónde** vienes?*

    < *Vengo **del** cine.*

~~CON + YO~~ → CONMIGO *¿Vienes **conmigo** al cine?*

~~CON + TÚ~~ → CONTIGO *Carlos, ¿puedo ir **contigo**?*

Así se usa

- Para expresar el destino y la dirección, usamos la preposición **A**.

    > *¿**Adónde** va María?*

    < *Va **a** casa.*

- Para expresar la procedencia o el lugar de nacimiento, usamos la preposición **DE**.

    > *¿**De dónde** vienes?*

    < *Vengo **de** mi casa.*

    > *¿**De dónde** eres?*

    < ***Soy de** Buenos Aires, ¿y vos?*

- Para expresar el principio de un recorrido, espacial o temporal, usamos la preposición **DESDE** (→ Unidad 32).

    *Vengo al trabajo a pie **desde** mi casa.*

    *Vivo en Madrid **desde** el mes de enero.*

- Para expresar el final de un recorrido, espacial o temporal, usamos la preposición **HASTA**.

    *Cada día doy un paseo **hasta** mi casa (desde el trabajo).*

    *Estoy en Bogotá **hasta** el mes de diciembre (desde enero).*

- Para expresar compañía, usamos **CON**.

> ¿**Con** quién vas a Perú?
< **Con** mi amiga Silvia.

- Para expresar el lugar donde estamos, usamos la preposición **EN**. Para preguntar se usa el interrogativo **DÓNDE** (→ Unidad 11).

> ¿**Dónde** está el gato?
< (Está) **en** el armario.

> ¿**Dónde** están Juan y Antonio?
< Están **en** Perú.

- Para expresar el medio de transporte, usamos la preposición **EN**.

> ¿Cómo van a la universidad?
< Yo (voy) **en** metro.
Y yo (voy) **en** autobús. PERO se dice **ir a pie**.

- Para preguntar la hora se usa **A + qué hora.** Se responde con la preposición **A + artículo + el número.**

> ¿**A qué hora** tienes la clase?
< **A las** diez.

- Para hablar del principio y del final de un horario usamos **DE + hora + A + hora.** En este caso, las horas no llevan artículo: **de ~~las~~ 8:00 a ~~las~~ 15:00.**

> En verano trabajamos **de** 8:00 **a** 15:00. Yo prefiero este horario.
< Pues yo tengo siempre el mismo horario: **de** 9:00 **a** 17:00.

- Para expresar la finalidad o la utilidad de algo, usamos la preposición **PARA.**

Este armario es **para** guardar los zapatos.
Practico todos los días **para** mejorar mi nivel de español.
El abanico sirve **para** dar aire.

- Para expresar el lugar por el que hay que pasar, usamos la preposición **POR**. Para preguntar, se pone delante del interrogativo.

> ¿**Por dónde** vais a Pamplona, **por** Zaragoza o **por** Logroño?
< Vamos **por** Zaragoza; es más rápido.

- Para preguntar la causa de algo usamos **POR QUÉ** en la pregunta. Para responder usamos **PORQUE** + oración y **POR** + sustantivo (con o sin artículo).

> ¿**Por qué** estudias español?
< **Porque** quiero viajar a Latinoamérica.

Estoy aquí **por** trabajo.
Nos vamos **por el** mal tiempo.

EJERCICIOS

Practique (cómo se construye)

1 Subraye la preposición correcta.

1. Voy <u>en</u> / de / a coche.
2. Llega a / en / con Madrid hoy.
3. Viaja a / con / de Mario.
4. La cena es a / con / en las 9:00.
5. Viene con / por / en Madrid.
6. La comida está con / de / en el horno.
7. Voy a la academia de / en / a / pie.
8. Hay mucha gente en / a / con la sala.
9. Hay dos personas a / en / con mi novia.
10. Van por / en / de el centro de la ciudad.

2 Ordene los elementos de estas frases.

1. la semana / Estamos / desde / pasada / aquí → *Estamos aquí desde la semana pasada.*
2. hacer ejercicio / al / Vamos / para / gimnasio ....
3. ¿te gusta / no / Por qué / la montaña? ....
4. el día / hasta / de vacaciones / Están / veinte ....
5. muy / Tomo / porque / el tren / es / cómodo ....
6. ¿vas / este / Adónde / fin de semana? ....
7. ¿dónde / es / tu marido / De? ....
8. el sol / a / Voy / para / la playa / tomar ....

Practique (cómo se usa)

3 Indique el valor de la preposición en estas frases: procedencia, destino...

1. Voy **en** coche: ....*medio de transporte*...............
2. Vuelve **de** Caracas: ....
3. Llega **a** casa tarde: ....
4. Leo todos los días **por** placer: ....
5. Termina el trabajo **a** las 5:30: ....
6. Viene **por** Murcia: ....
7. Estoy en casa **de** 17:00 **a** 19:00: ....
8. Voy contigo **para** ayudarte: ....

4 Escriba la preposición que corresponde y añada uno de los siguientes verbos.

poner, pasar, *llegar*, ser, volver

1. Ir, venir, viajar, *llegar*	(medio de transporte)	*En*
2. Estar, haber	(localización)	
3. Ir, venir	(lugar por el que se pasa)	
4. Ir, venir	(procedencia, lugar de nacimiento)	
5. Viajar, ir	(dirección)	

(1: 47)

5 **Escuche o busque la pregunta y complete la respuesta con la preposición adecuada.**

> ¿Dónde está Carlos? / ¿Con quién haces el intercambio de conversación sueco-español?
> ¿Adónde vas tan cargada? / ¿Cuánto tiempo van a estar fuera?
> ¿Por qué vives en el campo? / ¿En qué viajas normalmente? / ¿Cuál es el camino más corto?
> ¿A qué hora llega a Lima? / ¿Isabel va sola a la fiesta?

1. < ¿Dónde está Carlos?
   > ..En. el despacho.
2. < ¿..?
   > .... casa de mis padres. Les llevo la compra de toda la semana.
3. < ¿...?
   > .... coche.
4. < ¿Isabel ....?
   > No, no va sola. Va (yo) ....
5. < ¿ ....?
   > .... un compañero sueco de clase.
6. < ¿...?
   > ....las cinco de la mañana.
7. < ¿...?
   > No mucho, ... 13:00 .... 15.00.
8. < ¿..?
   > Vamos .... la Plaza Mayor. Este camino es más corto.
9. < ¿..?
   > .... no me gusta la ciudad.

6 **Encuentre los errores en este mensaje y escriba la solución adecuada.**

Hola, Lidia:

Soy un amigo de tu hermano. Me llamo Steven y soy por → de Canadá. Estudio español en Alcalá y vivo con Madrid para el mes de febrero. Todos los días voy desde Madrid por Alcalá en tren. Los fines de semana me aburro conque no conozco muy bien la ciudad y por eso necesito una persona en aquí, por visitar juntos los sitios interesantes. ¿Puedes ser mi guía? ¿Porque no me ayudas tú?

Muchas gracias y hasta pronto,

Steven

....

....

7 **Complete las oraciones.**

1. Por las mañanas, Chus va ......*del*...... pueblo a la ciudad ...... coche a llevar a los niños ...... colegio ...... las nueve; y por las tardes, vuelve ...... casa ...... las cinco.

2. Segovia es una ciudad muy bonita, por eso el sábado voy .... Madrid .... Segovia .... autobús .... los estudiantes.

3. Esta tarde voy ...... el cine ...... Eduardo. Vamos ...... metro. La película empieza .... las diez, pero vamos primero .... un bar a tomar unas tapas.

4. Las clases empiezan .... las 8:30, y después, en el descanso, los estudiantes meten los libros ...... la mochila y van ...... la cafetería.

5. Mañana Rosa sale ...... las dos .... Barcelona ...... autobús ...... un compañero de clase y va .... Zaragoza ...... que tienen un examen.

6. Estoy estudiando Bellas Artes .... que un día quiero ser artista.

7. ¡Qué pena! No puedo ir .... (tú) al teatro .... se han agotado las entradas.

8. .... estar sanos, debemos comer bien, andar mucho y trabajar poco.

9. Los sábados las tiendas abren ...... 9:00 .... 14:00.

10. ...... mi casa .... mi trabajo hay 5 km.

M I S   C O N C L U S I O N E S

8 **Marque verdadero (V) o falso (F).**

1. La preposición *a* siempre indica dirección: ......
2. La preposición *con* indica medio de transporte: ......
3. La preposición *en* puede indicar localización o medio de transporte: ......
4. La preposición *por* solo indica causa: ......
5. La preposición *para* expresa utilidad: ......

9 **Elija la opción correcta.**

a. Voy a el banco.
   Voy al banco.

b. Te espero en la calle.
   Te espero a la calle.

c. ¿Por qué no vienes?
   ¿Porqué no vienes?

d. Voy a pie desde mi casa en la estación de tren.
   Voy a pie desde mi casa hasta la estación de tren.

i FÍJESE!

(1: 48)

Toma, Leo, **estas flores** son para ti.

¿Para mí? ¡¡¡Gracias!!!

¿Quién es **aquella señora** de allí?

¿La del vestido largo? Es mi madre.

2. Sí, pero prefiero **aquella**.

1. ¿No necesitas comprar una mesa? **Esta** es muy barata.

20€

Así se construye

Este árbol.

Ese árbol.

Aquel árbol.

| AQUÍ / ACÁ | AHÍ | ALLÍ / ALLÁ |

LOS DEMOSTRATIVOS

	Masculino			Femenino		
Singular	este	ese	aquel	esta	esa	aquella
Plural	estos	esos	aquellos	estas	esas	aquellas

	Neutro		
Solo pronombres	esto	eso	aquello

-78-

- **Los determinantes demostrativos** van normalmente delante del sustantivo al que acompañan y concuerdan con él en género y número. IMPORTANTE: van siempre con un sustantivo.

    Esta casa / este piso. Aquellas casas / aquellos pisos. Esa abogada / Esos carteros.

- **Los pronombres** se usan cuando el sustantivo no está en la oración porque ya se ha mencionado o está en el contexto visual. Concuerdan con él en género y número.

    *Esta mesa es más barata, pero prefiero **aquella**. / No quiero este melón de aquí, quiero ese **de ahí**. / ¿Quién es **ese** (chico)?*

- Los neutros son siempre pronombres e invariables.

    *Yo no he dicho **eso**.*

Así se usa

- *Este / esta / estos / estas* señalan a lo que está cerca de la(s) persona(s) que habla(n). Los adverbios *aquí / acá* señalan la proximidad.

    ***Este árbol** está **aquí**. **Estas flores** (que tengo **aquí**) son para ti.*

- *Ese / esa / esos / esas* señalan lo que está a media distancia. Está más cerca de la(s) persona(s) que escucha(n). El adverbio *ahí* señala la distancia.

    ***Ese árbol** está **ahí**. Quiero un kilo de **esas peras** (de **ahí**).*

- *Aquel / aquella / aquellos / aquellas* señalan a lo que está lejos de la(s) persona(s) que habla(n). Los adverbios *allí / allá* señalan la distancia.

    ***Aquel árbol** está **allí**. ¿De quién es **aquel coche**?*

- **Los neutros esto / eso / aquello** se usan para referirse a algo que no se conoce, a una idea o a un conjunto de cosas indeterminadas.

    > *Toma, para ti.*
    < *¿Qué es **esto**?*

    *¿Usted sabe de quién es **eso** que está **ahí**?*

Resumen

Personas relacionadas	Demostrativos	Adverbios marcadores de distancia
Yo / nosotros /-as	este / esta / estos / estas / esto	aquí / acá
Tú / usted / vos vosotros /-as / ustedes	ese / esa / esos / esas / eso	ahí
Él / ella /-os /-as	aquel / aquella / aquellos / aquellas / aquello	allí / allá

EJERCICIOS

Practique cómo se construye

1 **Complete con la terminación adecuada. Escuche y compruebe.**

(1: 49)

1. Aqu*ellas*.... casas.
2. Es...... árboles.
3. Est...... silla.
4. Es*e*.... chico.
5. Aqu...... perro.
6. Es...... montañas.

7. Mi coche es aqu.........
8. Mira ahí, ¿quiénes son es.........?
9. ¿Qué es est.........?
10. Tenemos muchas fotos: son est.........
11. Es......... que dices no nos gusta.
12. ¿Quiere esta tarta o aque.........?

2 **Escriba los demostrativos y los adverbios adecuados a cada dibujo.**

.... mesas
Adverbio: ....

.... caja
Adverbio: ....

.... cuadros
Adverbio: ....

3 **Lea con atención y complete con los demostrativos adecuados.**

1. Tienes una copa en la mano: Mira, ... copa es de plástico, no lo parece.
2. Estás en la calle con una amiga: Mira lo que hay ahí, ¿qué es ....?
3. Preguntas por un chico que se sienta al fondo de la clase:
   ¿Cómo se llama .... chico que está allí?
4. En la puerta de clase: Ves a tu profesora en el pasillo .... de ahí es mi profesora.
5. En un bar:
   ¿Quieren el bocadillo de .... jamón de aquí o de .... que está colgado ahí?
6. En la calle. Ves a lo lejos el edificio donde trabajas:
   ¿Ves el edificio alto de allí enfrente? Pues yo trabajo en .... edificio.

Practique (cómo se usa)

 4 Relacione cada situación con la frase correspondiente y subraye la opción correcta. Fíjese en el ejemplo resuelto.

SITUACIONES	FRASES
1. Ves algo y desconoces su nombre.	*Ahora estoy allí / aquí.*
2. Te dan un regalo muy bien envuelto.	*¿Cómo se llama eso / aquello?*
3. Pides un libro que está lejos.	*Esta / esa es mi clase.*
4. Hablas con tu amiga de su vestido.	*¡Anda! ¿Qué es esto / aquello?*
5. Señalas en un mapa el lugar donde estás.	*¿Me pasas aquel / este libro?*
6. Estás con alguien al lado de tu clase.	*Ese / aquel vestido es precioso.*

  5 Complete con los demostrativos adecuados. Para ayudarse, fíjese en las palabras en negrita. Después escuche y compruebe.

(1: 50)

1. Deducciones fáciles

> Si estoy **aquí**, ... es la ciudad que busco.

< Muy bien. Si tú ya estás ...., yo voy a visitarte a **esa** ciudad.

¡Perfecto! Como ustedes están ...., yo les escribiré **desde Ecuador,** mi país.

2. Comprar en la frutería

> ¿Me pone medio kilo de tomates?

< ¿De cuáles quiere?

> De .... **que están a su lado**.

< .... son muy buenos. ¿Algo más?

> Sí, ... melón de **allí.**

3. Descansar en un pueblo

> Mira el mapa, estamos ...., en .... pueblo.

< En .... bar podemos tomar un café, ¿os apetece?

Está lejos. No quiero andar.

> Bueno, ... hay otro bar, ¿prefieres ....?

Sí, está **más cerca.**

MIS CONCLUSIONES

 6 Elija la solución correcta.

a. Los pronombres demostrativos *son variables / son invariables.*

b. *Esto, eso, aquello* siempre *son adjetivos / siempre son pronombres.*

c. Los demostrativos *están / no están* en relación con los adverbios *aquí / ahí / allí.*

d. Los pronombres demostrativos *se refieren / no se refieren* a algo ya mencionado.

15 Vivo aquí
ADVERBIOS DE TIEMPO, LUGAR Y MODO

¡FÍJESE!

(1: 51)

1. No encuentro a mi gato desde **ayer**.

3. ¿Y qué hace **ahí**?

2. ¡Mira! **Está aquí. Debajo de** la cama.

4. Pues... está durmiendo **tranquilamente**.

Estos humanos **evidentemente** no saben vivir bien.

Así se construye

(→ Unidad 4)

Adverbios de tiempo	Adverbios de lugar			Adverbios de modo
Ayer	Aquí / Acá	Encima	Bien*	– Adjetivo terminado en vocal:
Hoy	Ahí	Debajo	Mal*	clar**o** → clar**a**mente
Mañana	Allí / Allá	Al lado		inteligente → inteligentemente
Pronto*		Delante		
Tarde*		Detrás		– Adjetivo terminado en consonante:
		Enfrente		fácil → fácilmente
		Cerca*		
		Lejos*		

* Estos adverbios pueden construirse con **un poco, bastante** y **muy.**

¡ATENCIÓN!

Encima
Debajo
Al lado
Delante
Detrás
Enfrente
Cerca
Lejos

(+ **DE** + Nombre)

*El coche esta **enfrente del** bar.*

*Juan vive ahí **enfrente**.*

Así se usa

- Los adverbios **de tiempo** expresan:
  - Cuándo ocurre una acción: *ayer, hoy, mañana.* **No** pueden llevar delante *muy, un poco, bastante.*
  - Una valoración sobre el tiempo: *pronto y tarde.* **Sí** pueden llevar delante *muy, un poco, bastante.*
  (→ Unidad 24)

- Los adverbios **de lugar** expresan:
  - Localización: *aquí / acá, ahí y allí / allá.* **No** pueden llevar delante *muy, un poco, bastante.*
  - Una valoración sobre la distancia: *lejos (de), cerca (de).* **Sí** pueden llevar delante *muy, un poco, bastante.*
  - Relaciones de localización: *encima, debajo, al lado, delante, detrás, enfrente.* **No** pueden llevar delante *muy, un poco, bastante.*

¡ATENCIÓN!

Aquí / Acá: cerca de ti.
Ahí: cerca de tu interlocutor, no muy cerca de ti.
Allí / Allá: lejos de ti y de tu interlocutor.

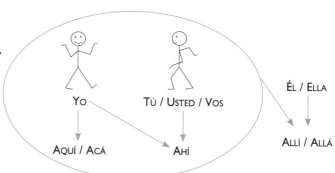

¡ATENCIÓN!

Los adverbios de lugar pueden no llevar la preposición DE si la especificación del lugar se ha mencionado antes o se deduce por el contexto.

> > ¿Vives **cerca** o **lejos de tu trabajo**?
> < Vivo muy lejos.
> El gato está **fuera** (señalando al jardín).

- Los adverbios **de modo** expresan la manera o modo como se realiza o se desarrolla una acción o un estado.

  *Explica la gramática **muy bien.***
  *Entiendo **perfectamente.***
  *Estoy **mal.***

- Los adverbios en general cambian fácilmente de posición, no tienen un lugar fijo.

  ***Habitualmente**, vengo a clase de español.*
  *Vengo a clase de español **habitualmente**.*
  *Vengo **habitualmente** a clase de español.*

EJERCICIOS

Practique cómo se construye

1 Clasifique estos adverbios en su columna correspondiente.

ayer, bien, lejos, delante, mañana, pronto, tarde, mal, enfrente de, al lado de, aquí, tranquilamente, allí, cerca de, claramente, totalmente

Modo	Tiempo	Lugar	-mente
	ayer		

2 Escriba *un poco, bastante, muy* al lado del adverbio o de la locución adecuados.

Ej.: *lejos → Un poco, bastante, muy lejos.*

Mañana ....

Aquí ....

Enfrente de ....

Cerca ....

Mal ....

Tarde ....

Totalmente ....

Al lado ....

3 (1: 52) Forme adverbios en *–mente* a partir de los adjetivos. Después, escuche y compruebe.

Fácil ....*fácilmente*.....................

Loco ....

Lento ....

Normal ....

Constante ....

Absurdo ....

Eficaz ....

Tonto ....

Frío ....

Dulce ....

4 (1: 53) Complete con el adverbio adecuado. Escuche y compruebe.

1. Tokio está ....*lejos de*........... Madrid.
2. Mi profesora habla muy .... español.
3. Luis vive en el 3.° y María vive en el 4.°, Luis vive .... María.
4. Tengo miedo porque un hombre viene .... mí.
5. Tengo un regalo para ti .... esta caja.
6. .... mi casa vive una chica que hace mucho ruido cuando anda y me molesta.
7. Raúl no puede ver la película porque .... él hay un señor muy alto.

Practique cómo se usa

5 Observe el dibujo y corrija las frases que no se correspondan con lo que se ilustra.

1. El león está encima del hipopótamo. ....
2. La gallina está debajo de la jirafa. ....
3. El hipopótamo está cerca del caballo. ....
4. El tigre está enfrente del caballo. ....
5. Los pollitos están lejos de la oveja. ....
6. La oveja está lejos de la jirafa. ....

(1: 54)

6 Complete la siguiente nota. Después, escuche y compruebe.

Hola, María:

Para cenar tienes carne, está .... la mesa. Estoy en casa de mi amiga Julia, que vive un poco ...., por eso llegaré .... No te preocupes, estoy ....

Tu blusa blanca está .... la puerta, por si quieres ponértela. Nos vemos luego.

Un abrazo,

Alejandro

M I S   C O N C L U S I O N E S

7 Marque verdadero (V) o falso (F).

a. *Bien* y *mal* pueden ir con el verbo *estar*: ......
b. *Aquí, ahí, allí* expresan modo: ......
c. *Encima de, detrás de, al lado de* pueden llevar delante *muy*: ......
d. *Lejos, cerca, encima, debajo, al lado* siempre llevan la preposición *de*: ......
e. Los adverbios, en español, no cambian de posición: ......
f. De *cerca* podemos formar *cercamente*: ......
g. De *fácil* podemos formar *fácilmente*: ......

 **FÍJESE!**

> Voy al **quinto** piso, ¿y usted? ¿A qué piso va?

> Yo, al **tercero.**

(1: 55)

> 1. ¿La Gran Vía, por favor?

> 2. Sí, pasado este **primer** semáforo, la **segunda** calle a la derecha.

> 3. Muchas gracias.

> **Primero,** leemos el texto juntos. **Segundo,** aclaramos dudas. Y **tercero,** comentamos la lectura, ¿de acuerdo?

Así se construye

La forma

Numeral	Ordinal	Numeral	Ordinal	Numeral	Ordinal
Uno / una	Primero/a	Ocho	Octavo/a	Quince	Decimoquinto/a
Dos	Segundo/a	Nueve	Noveno/a	Dieciséis	Decimosexto/a
Tres	Tercero/a	Diez	Décimo/a	Diecisiete	Decimoséptimo/a
Cuatro	Cuarto/a	Once	Undécimo/a	Dieciocho	Decimoctavo/a
Cinco	Quinto/a	Doce	Duodécimo/a	Diecinueve	Decimonoveno/a
Seis	Sexto/a	Trece	Decimotercero/a		
Siete	Séptimo/a	Catorce	Decimocuarto/a		

La escritura

Ordinales masculinos → con una ° detrás del número: 2.°, 3.°, 4.°, 10.°...

Ordinales femeninos → con una ª detrás del número: 2.ª, 3.ª ...

> *Vivo en el **2.° (segundo)** piso, **1.ª (primera)** escalera.*

- Normalmente se usan hasta diez. A partir de ahí, en la lengua hablada se prefiere el numeral cardinal acompañado del sustantivo.

> *El motorista español está situado en el **puesto quince.***

- Los ordinales **primero** y **tercero** pierden la **-o** final delante de sustantivos masculinos, pero no de los femeninos.

> *Viven en el **primer / 1.ᵉʳ** piso. Viven en la **primera planta**.*
> *Este es mi **tercer / 3.ᵉʳ** libro. Es mi **tercera novela**.*

Así se usa

- Con los números ordinales expresamos el orden de una serie. Acompañan a los sustantivos y concuerdan con ellos en género y número. También se usan para ordenar las acciones.

> *Las **primeras candidatas** se presentan mañana. / **Primero,** leo; **segundo,** firmo.*

– Llevan determinantes delante.

> *Rafael Nadal está en **el segundo puesto** de la clasificación mundial.*
> *Usted es **la primera persona** que conozco en este país.*
> ***Los primeros días** de vacaciones.*
> *Este es **mi cuarto** libro.*

– Pueden aparecer solos cuando se refieren a algo o a alguien ya mencionados.

> *> Vivo en el **sexto** piso, ¿y usted?*
> *< Yo, en el **séptimo**.*

- Los nombres de los reyes, reinas y papas se escriben en números romanos. Hasta el número diez se leen con ordinales y luego con numerales cardinales.

> *Alfonso **X (décimo)** el Sabio / Alfonso **XIII (trece)** / Juan Carlos **I (primero)**.*

E J E R C I C I O S

Practique cómo se construye

1 **Escriba el ordinal correspondiente a estos números.**

1. Tres: .... *tercero* ....
2. Seis: ....
3. Diez: ....
4. Nueve: ....
5. Ocho: ....

6. Siete: ....
7. Cinco: ....
8. Cuatro: ....
9. Dos: ....
10. Uno: ....

2 **Fíjese en el sustantivo subrayado y complete la forma del ordinal.**

1. Somos la segun..da.. empresa del mundo en computadoras.

2. El cuar......... piso está vacío.

3. Las prim......... páginas del libro son fáciles.

4. Vamos al déci......... piso, ¿en ascensor o a pie?

5. Hoy celebramos las Quin......... Jornadas Internacionales sobre el Medio Ambiente.

6. Hemos quedado en el sex......... puesto.

3 **Lea o escuche el ordinal y escriba el número correspondiente.**

(1: 56)

1. Decimonoveno: ...19.º...

2. Séptima: ....

3. Undécimo: ....

4. Decimocuarto: ....

5. Quinto: ....

6. Undécima: ....

7. Decimotercero: ....

8. Octava: ....

9. Tercer: ....

10. Sexto: ....

11. Decimoquinto: ....

12. Decimosexta: ....

13. Decimoséptimo: ....

14. Primera: ....

15. Decimoctavo: ....

4 **Escriba el ordinal correspondiente.**

1. En el aeropuerto, algunas personas 1.º .... sacamos la tarjeta de embarque; 2.º .... pasamos el control y 3.º .... buscamos la puerta de embarque.

2. Hoy sale la 10.ª .... edición del libro.

3. Se alquila el 4.º .... piso, pero no hay ascensor.

4. Estudia 5.º .... de carrera.

5. Pepe Romántiquez gana el 10.º .... premio de poesía.

6. En la 6.ª .... planta ofrecemos artículos más baratos.

7. La orquesta está tocando el 3.er .... movimiento.

8. La 3.ª .... sinfonía de Beethoven se llama *Heroica*.

9. No me gusta la 2.ª .... parte de esta novela.

10. El piloto está en el puesto 1.º .... de la clasificación.

Practique (cómo se usa)

5 **Complete con el ordinal adecuado. Después, escuche y compruebe.**

(1: 57)

1. > Soy la (5) ......*quinta*........ de diez hermanos.

   < Pues yo no tengo hermanos, soy hijo único.

2. > La semana próxima es el (10) .... aniversario de boda de mis padres.

   < ¡Qué bien!

3. > Mira qué mal como con palillos.

   < Claro, las (1) .... veces son siempre difíciles.

4. > Estoy leyendo la carta de mi novia por (4) .... vez.

   < ¿No la entiendes o... es «muy interesante»?

5. Convocamos el (12) .... premio de novela corta.

6. > ¿Puedes alcanzarme el (7) .... libro de la izquierda?

   < ¿El de Cortázar?

   > Sí, gracias.

7. > Carlota es mi (9) .... nieta.

   < ¿Son todas niñas?

8. > Quiero ganar el (1) .... premio.

   < ¡Hombre! El (2) .... también es importante.

9. Los (3) .... reciben medalla de bronce.

10. > Ya estoy en el (3) .... ciclo de mis estudios.

    < Es decir, que estás haciendo el Doctorado, ¿no?

M I S   C O N C L U S I O N E S

6 **Marque verdadero (V) o falso (F).**

a. Los ordinales son siempre invariables: ......

b. *Décimo* es el ordinal correspondiente a diez: ......

c. *Primera* y *tercera* pierden la **-a** delante del nombre: ......

d. Los ordinales no pueden aparecer solos: ......

e. Todos los ordinales tienen que llevar determinantes: ......

17 No encuentro mis zapatos

LOS POSESIVOS (I)

¡ FÍJESE !

(2: 1)

¿Dónde están **mis zapatos**?

¿**Tus zapatos**?
Mira, ahí están.

Señor, ¿no encuentra **sus zapatos**?

Pues no.

Así se construye

Determinantes posesivos

- Van siempre delante del sustantivo. No pueden llevar artículos delante.

  ~~Las~~ *mis amigas* → *Mis amigas*.
  ~~El~~ *su perro* → *Su perro*.

- Van en singular o plural según la palabra a la que acompañan.

  Mis *amigas*.
  Su *perro*.

- Los posesivos de **nosotros** y **vosotros** también cambian de género según la palabra a la que acompañan.

  Vuestros libros / vuestra casa.
  Nuestro libro / nuestras casas.

Yo		Tú / Vos		Él / Ella / Usted	
Una cosa	Varias cosas	Una cosa	Varias cosas	Una cosa	Varias cosas
mi	**mis**	**tu**	**tus**	**su**	**sus**
Mi libro.	*Mis zapatos.*	*Tu libro.*	*Tus zapatos.*	*Su libro.*	*Sus zapatos.*

Nosotros /-as		Vosotros /-as		Ellos / Ellas / Ustedes	
Una cosa	Varias cosas	Una cosa	Varias cosas	Una cosa	Varias cosas
Masc. **nuestro**	Masc. **nuestros**	Masc. **vuestro**	Masc. **vuestros**	**su**	**sus**
Nuestro padre.	*Nuestros hermanos.*	*Vuestro libro.*	*Vuestros zapatos.*	*Su libro.*	*Sus zapatos.*
Fem. **nuestra**	Fem. **nuestras**	Fem. **vuestra**	Fem. **vuestras**		
Nuestra madre.	*Nuestras hermanas.*	*Vuestra profesora.*	*Vuestras profesoras.*		

¡ATENCIÓN!

Su libro = el libro **de él / de ella / de usted / de ellos / de ellas / de ustedes.**
Sus zapatos = los zapatos **de él / de ella / de usted / de ellos / de ellas / de ustedes.**

Así se usa

- Para expresar posesión (indica la persona que posee el objeto).
  > *¿Dónde están **mis llaves?***
  < *¿**Tus llaves?** Mira, aquí están.*
- Para expresar pertenencia (indica que la persona forma parte de un grupo).
  *Esos chicos son **de nuestra clase.***
  *¿Cuál es la capital **de su país?***
- Para expresar relaciones entre personas o parentesco.
  > *Le presento **a mi novio.***
  < *Encantada.*

EJERCICIOS

Practique *cómo se construye*

1 **Relacione las dos columnas.**

Ej.: *yo → mis compañeros.*

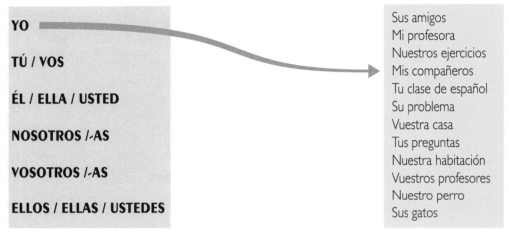

YO	Sus amigos
	Mi profesora
TÚ / VOS	Nuestros ejercicios
	Mis compañeros
ÉL / ELLA / USTED	Tu clase de español
	Su problema
NOSOTROS /-AS	Vuestra casa
	Tus preguntas
VOSOTROS /-AS	Nuestra habitación
	Vuestros profesores
ELLOS / ELLAS / USTEDES	Nuestro perro
	Sus gatos

2 **Complete con el posesivo adecuado.**

Ej.: *(Vos)* **Tu** *casa.*

1. (Nosotros) .... familia.
2. (Yo) .... hermanos.
3. (Usted) .... trabajo.
4. (Ustedes) .... trabajo.
5. (Yo) .... abuela.

6. (Nosotras) .... ordenadores.
7. (Tú) .... clase de español.
8. (Vosotras) .... profesora.
9. (Tú) .... compañeros de clase.
10. (Vosotros) .... compañeros de clase.

Practique *cómo se usa*

3 **Escriba el posesivo adecuado.**

1. > No tengo .... correos electrónicos.
   ¿Me los dais y os escribo?
   < Sí, claro. Toma nota.
2. > Te presento a .... padres.
   < Encantada. Mucho gusto de conocerlos.
3. > Clara, ¿puedo usar .... ordenador?
   < Sí, claro, no lo necesito ahora.

4. > ¿Ahora vivís en este barrio? ¿Cuál es
   .... casa?
   < La de la derecha de las ventanas rojas.
5. > Me encanta Vargas Llosa, tengo todos
   .... libros.
   < Pero... ¿los has leído todos?

(2: 2)

4 **Complete los diálogos. Después, escuche y compruebe.**

Ej.: > ¿Son estos **tus** zapatos?
< Sí, ¿verdad que son originales?

1. > ¿Vives con .... familia?
   < No, vivo solo en un piso.

2. > Señora, ¿me deja .... pasaporte?
   < Sí, claro.

3. > ¿Está usted contenta con .... alumnos?
   < Sí, son muy responsables.

4. > Nosotros tenemos que resolver .... problemas.
   < Sí, claro, pero podemos pedir ayuda, ¿no?

5. > Hablas muy bien.
   < Es que .... novio es español.

6. > ¿Me das .... número de móvil?
   < Sí, ¿tienes papel para anotar?

7. > Tengo problemas con la computadora. ¿Recibes bien .... correos?
   < Sí, claro. .... ordenador es nuevo y funciona estupendamente.

8. > En .... barrio hay muchas obras y el tráfico está imposible. ¡Me voy a otro!
   < ¡Tranquilo, hombre! No solo en .... barrio, hay obras en todas partes.

9. > ¡Miren! El mozo ya trae .... pedido.
   < ¡Bárbaro! Tenemos un hambre...

10. > ¿Dónde están .... cosas que no las veo?
    < En .... sitio, como siempre.

MIS CONCLUSIONES

5 **Conteste a estas preguntas.**

1. ¿En qué personas (yo, tú, él...) coinciden las formas del determinante posesivo?: ....
2. ¿Qué posesivos concuerdan siempre en género y número con la palabra a la que acompañan?:
   ....

6 **Marque verdadero (V) o falso (F).**

a. Los determinantes posesivos siempre van delante del nombre: ......
b. Los determinantes posesivos concuerdan en número con la persona gramatical
   (yo, tú, él, nosotros, etc.): ......
c. Algunos determinantes posesivos pueden aparecer solos: ......

18 Este platillo es mío

LOS POSESIVOS (II)

¡FÍJESE!

(2: 3)

¿De quién son estos zapatos?

Son **míos**.

¡Mira!, tu platillo volante.

No, aquel no es mi platillo. **El mío** está ahí.

Así se construye

Yo		Tú / Vos		Él / Ella / Usted	
Una cosa	Varias cosas	Una cosa	Varias cosas	Una cosa	Varias cosas
Masc. **(el) mío** Fem. **(la) mía**	Masc. **(los) míos** Fem. **(las) mías**	Masc. **(el) tuyo** Fem. **(la) tuya**	Masc. **(los) tuyos** Fem. **(las) tuyas**	Masc. **(el) suyo** Fem. **(la) suya**	Masc. **(los) suyos** Fem. **(las) suyas**

Nosotros /-as		Vosotros /-as		Ellos /-as / Ustedes	
Una cosa	Varias cosas	Una cosa	Varias cosas	Una cosa	Varias cosas
Masc. **(el) nuestro** Fem. **(la) nuestra**	Masc. **(los) nuestros** Fem. **(las) nuestras**	Masc. **(el) vuestro** Fem. **(la) vuestra**	Masc. **(los) vuestros** Fem. **(las) vuestras**	Masc. **(el) suyo** Fem. **(la) suya**	Masc. **(los) suyos** Fem. **(las) suyas**

Así se usa

- Estas formas pueden ir detrás de un verbo, un artículo y un sustantivo (→ Unidad 5, nivel Medio).

  Son mías.

  *Son **las** mías.*

  *Una **hermana** mía.*

- Concuerdan en género y número con el sustantivo al que se refieren.

  > *¿De quién son estas gafas?*   > *Este es tu abrigo, ¿no?*

  < *Son mías.*   < *No, ese no es **el mío**.*

- Con estas formas también indicamos de quién es el objeto.

  ***Mis** zapatos son estos.* → *Estos zapatos son **míos**.*

- Usamos los posesivos con artículos cuando queremos contrastar con el objeto de otra persona.

  > *Mis ejercicios están bien.*

  < *Pues **los míos** están regular.*

EJERCICIOS

Practique (cómo se construye)

1 **Complete la forma del posesivo.**

Ej.: > *¿De quién es esa casa?* < *Es **nuestra**.*

1. Esta chaqueta, ¿es tu......?

2. Ese es el libro de Raúl, ¿dónde está el nues......?

3. > ¿Este perro es de Carmen y Luis? < Sí, es su......

4. Aquí está mi clase. ¿Y la vues......?

5. > ¿De quién son estos ejercicios? < ¡Mí......!

2 **Subraye la opción correcta.**

Ej.: > *Abuela, esta casa es el vuestro / <u>la vuestra</u>, ¿no?*
        < *No, hija. Mira, la nuestra es esa.*

1. > ¿De quién son estos libros?
     < *Nuestro / nuestra / nuestros / nuestras.*

2. > ¿De quién son estas gafas?
     < ¿No son *tus / tuyas?*
     > No, *mías / las mías* son estas.

3. > ¿Dónde está vuestra casa?
     < ¿Ves esas casas blancas? *Nuestro / nuestra / la nuestra* es la alta.

3 Complete con el posesivo adecuado.

Ej.: > ¿De quién son estos libros? < (De vosotros) **vuestros.**

1. > ¿Son (de ti) .... estos zapatos?
   < No, son (de él) ....

2. > (de Ana y Lucía) .... amigas son simpáticas.
   < Las (de mí) .... también.

3. > Estos cuadernos son (de mí) ....

< Los (de nosotros) .... son esos.
> ¿Y los (de vosotros) ....?
Están en casa.

4. > ¿De quién es esa casa tan grande?
   < ¡(De nosotros) ....!

5. > ¿Es (de usted) .... esta cartera?
   < No, la (de mí) .... es de piel.

Practique cómo se usa

4 Complete con un posesivo sin artículo.

Ej.: > *Este platillo volante es* **nuestro.**
     < *Este platillo no es nuestro ni vuestro, ¡es suyo!*

1. > Marco, ¿es .... este libro?
   < Sí, gracias.
   # Perdona, ese libro es ...., mira, aquí está mi nombre.

2. > La victoria es .... ¡Somos los mejores!
   < Todavía no es ....; primero, vamos a jugar.

3. > Señores, ¿son .... aquellos coches?
   < No, no son ....

4. > ¿De quién son estas llaves?
   < Son ...., ¡qué despistado soy!

5. > Chicas, ¿es .... este dinero?
   < Sí, claro, es el dinero de nuestro viaje de fin de curso.

5 Complete con un posesivo con artículo. Después, escuche y compruebe.

(2: 4)

Ej.: > *¿Cuál es el platillo volante de mamá? ¿Este?*
     < *No,* **el suyo** *es ese, el del motor estropeado.*

1. **Las claves de nuestro éxito son estas**
   a. En el mercado hay muchas ofertas, pero .... es la mejor.
   b. Pensamos en nuestro beneficio, pero también en ....
   c. Sus sueños son también ....

2. **Peleas entre tú y yo**
   a. > Mis alumnos estudian más que .... (tú).
      < Pero .... son más puntuales.

b. > Nuestra casa es más grande que .... (vosotros).

     < Pero .... es más antigua y elegante.

c. > Perdona, mi perro tiene más *pedigree* que .... (ellos).

     < ¡Ya, ya! Pero .... es más cariñoso.

3. Aclaraciones

a. > ¿Es este su café?

     < No, ... no lleva leche.

b. > El balcón de su casa (hablando de otra persona) es aquel, ¿verdad?

     < No, ... tiene flores.

c. > Vuestro gato es como este, ¿no?

     < Sí, pero .... es más grande.

6 **Escuche con atención. Después, complete los diálogos con el posesivo adecuado.**

(2: 5)

1. Situación: En un viaje. Tu amigo y tú os habéis comprado una camiseta como «souvenir».

> ¿Esta es mi camiseta o es ....?

< No sé, ... es pequeña; .... es más grande porque tú eres más alto.

> Entonces, esta es .... porque es muy grande.

2. Situación: Dos compañeras de habitación que se van y deben separar sus cosas.

Elena: ¡A ver! ¿Estos CD de música clásica son .... o ....?

Brenda: Son .... son los de *reggae*. Yo odio la música clásica.

Elena: ¿Todos los de *reggae* son ....?

Brenda: Creo que sí, pero mira bien.

Elena: Este es .... Te lo regalo.

Brenda: ¡Gracias!

3. Situación: Dos grupos de personas discuten en un garaje por una plaza de aparcamiento.

> ¡Esta plaza es ....!

< ¡Que no! ¡Que .... es esa de ahí! Esta plaza es ....

El guarda del garaje: Perdón, señores, ¡ejem!, hay un error. Esa plaza no es ....,

es .... La tengo reservada para mí.

M I S   C O N C L U S I O N E S

7 **Marque verdadero (V) o falso (F).**

a. A veces usamos los posesivos con el artículo delante para contrastar: ......

b. Los posesivos concuerdan con la persona gramatical (*yo, tú, él, nosotros*, etc.): ......

c. Si hablamos de varias cosas los posesivos tónicos siempre van en plural: ......

d. Ningún posesivo puede aparecer solo: ......

19 ¡Cómo me gustan las vacaciones!

LOS EXCLAMATIVOS

FÍJESE!

(2: 6)

> Mira, ahí está Luis, ¡qué guapo! ¡Y **cuánto** estudia!

> Sí, ¡y **qué** músculos! ¡**Cómo** me gusta!

> Mañana empiezo las vacaciones.

> ¡**Qué** suerte! Yo no puedo ir de vacaciones este año.

Así se construye

1. Los exclamativos pueden ser invariables o concordar con el sustantivo.

Invariables	Variables			
	Masculino sing.	**Femenino sing.**	**Masculino pl.**	**Femenino pl.**
Cómo Qué	Cuánto	Cuánta	Cuántos	Cuántas

2. Los exclamativos pueden ir seguidos de sustantivos, adjetivos, adverbios y verbos.

¡**Qué** coche! ¡**Cuánto** dinero! / ¡**Qué** rico! / ¡**Qué** lento vas! / ¡**Cómo** duele! ¡**Cuánto** habla!

3. El signo de exclamación va al principio y al final de la frase: ¡!

Así se usa

Los exclamativos se usan para intensificar:

- Valoraciones.
    - *Qué + adjetivo:* ¡**Qué** *educado!*
    - *Qué + adverbio:* ¡**Qué** *bien!*
- Sentimientos o sensaciones.
    - *Qué + sustantivo:* ¡**Qué** *alegría!* ¡**Qué** *calor!*
- La impresión buena o mala que nos causa algo.
    - *Qué + sustantivo:*

    ¡**Qué** *bicicleta tienes!*
- La cantidad.
    - *Cuánto + sustantivo:*

    ¡**Cuánto** *dinero!* ¡**Cuánta** *gente!* ¡**Cuántos** *libros!* ¡**Cuántas** *personas!*

    - *Cuánto + verbo:*
    ¡**Cuánto** *estudia!*
- La manera o el modo.
    - *Cómo + verbo:* ¡**Cómo** *baila!* ¡**Cómo** *huele!* ¡**Cómo** *habla!*

EJERCICIOS

Practique cómo se construye

1 Complete con *qué* o *cómo.*

1. ¡...*Cómo*... huelen esas flores!
2. ¡............ rico está!
3. ¡............ mal escribes!
4. ¡............ canta este pájaro!

5. ¡............ daño!
6. ¡............ risa!
7. ¡............ locura!
8. ¡............ casa!

2 Complete con *cuánto, cuánta, cuántos, cuántas.* **Escuche y compruebe.**

(2: 7)

1. ¡...*Cuánto*.... dinero tiene!
2. ¡.............. fotos tenéis!
3. ¡.............. gente hay por la calle!
4. ¡.............. come tu hermana!
5. ¡.............. discos tienes!
6. ¡.............. historias sabe tu madre!
7. ¡.............. problemas me da este hijo!
8. ¡.............. amigos tienes!

Practique cómo se usa

3 Transforme estas frases utilizando un exclamativo. Después, escuche y compruebe.

(2: 8)

1. Silvia sabe mucho de historia. .... *¡Cuánto sabe de historia!* ....

2. José Luis come mucho. ....

3. Andrés cocina muy bien. ....

4. David juega muy bien al fútbol. ....

5. Ángela es muy inteligente. ....

6. María lee mucho. ....

7. Mi padre corre todos lo días. ....

8. Ese chico tiene el pelo rosa y verde. ....

4 Reaccione usando un exclamativo adecuado.

Ej.: *Llueve mucho* → ¡**Cuánto** llueve!

1. Llegas a casa y huele muy bien.

¡..!

2. Ves un pantalón que te gusta mucho, pero es muy caro.

¡..!

3. El coche de tu hermano está muy sucio.

¡..!

4. Vas en coche y hay mucho tráfico.

¡..!

5. Llegas a casa y la música está muy alta.

¡..!

6. Pilar se presenta a una boda con un vestido espectacular.

¡..!

5 ¿Qué diría en estas situaciones? Después, escuche y compruebe.

(2: 9)

En clase

a. Hace mucho calor: .... *¡Qué calor!* ....

b. Hay más sillas de lo normal: ....

c. La profesora pone muchos deberes: ....

En casa

    a. La cocina está muy limpia: ....

    b. Hay muchas patatas: ....

    c. La casa está muy desordenada: ....

En la discoteca

    a. Ves a Octavio. Baila muy bien: ....

    b. Un refresco cuesta 1€: ....

    c. Hay mucha gente: ....

M I S   C O N C L U S I O N E S

6 **Marque verdadero (V) o falso (F).**

    a. *Qué* puede ir con verbos: ......

    b. *Cómo* siempre va con verbos: ......

    c. *Cuánto* concuerda en género y número con el sustantivo: ......

7 **Escriba la opción correcta.**

    a. ¡Qué bailan! / ¡Cómo bailan! ....

    b. ¡Qué calor! / ¡Cómo calor! ....

    c. ¡Cuánto bebe! / ¡Qué bebe! ....

20 Vamos a divertirnos

IR A + INFINITIVO

(2: 10)

¡ FÍJESE !

¡Qué oscuro está el cielo!

Sí, parece que **va a llover**.

¡**Vamos a** perder el tren!

Pues tomamos un taxi y ya está.

¿**Vais** a salir esta noche?

Sí, después de cenar **vamos a ir** a bailar.

Así se construye

IR A + INFINITIVO

Yo	voy		*hablar con la profesora.*
Tú	vas		*comer paella.*
Vos	vas		*comprar una casa.*
Él / ella / usted	va	A + infinitivo	*salir con Victoria.*
Nosotros /-as	vamos		*ver a Julia.*
Vosotros /-as	vais		*hacer hoy la comida.*
Ellos /-as / ustedes	van		*leer el periódico.*

Con pronombres

Los pronombres pueden ir delante de toda la construcción o detrás del infinitivo formando una sola palabra.

*Va a ducharse / **Se** va a duchar. Y no: Va a se duchar.* (→ Unidad 12).

Así se usa

- Para hablar de hechos futuros considerados como el resultado lógico de lo que se ve o se sabe en presente:

> ¡Huele a tierra mojada!
< Sí, eso es que **va a llover.**

> **Vamos a llegar** tarde.
< Pues llama por teléfono para avisar.

- Para hablar de planes o intenciones:

> ¿**Van a ir** a España este verano?
< Sí, y **vamos a aprender** mucho español.

- Estas expresiones suelen acompañar a **ir a** + infinitivo:

mañana, pasado mañana
el lunes / el martes / el miércoles… próximo (que viene)
en enero / febrero / marzo …
dentro de tres días
la semana que viene / la semana próxima
el mes que viene / el mes próximo
el próximo año / el año que viene

> ¿Qué **vas a hacer** el sábado que viene?
< **Voy a ver** a Silvia y luego, a lo mejor, **vamos a ir** al cine.

EJERCICIOS

Practique cómo se construye

1 **Relacione y forme frases.**

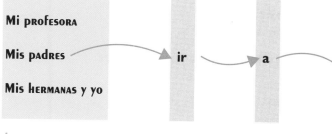

Mi PROFESORA			preparar los exámenes.
			hacer la compra.
			limpiar nuestra habitación.
Mis PADRES	ir	a	comer juntos.
			celebrar su aniversario.
Mis HERMANAS y yo			corregir los ejercicios.
			ir al cine.

1. ....
2. ....
3. .... *Mis padres **van a** celebrar su aniversario.* ....
4. ....
5. ....
6. ....
7. ....

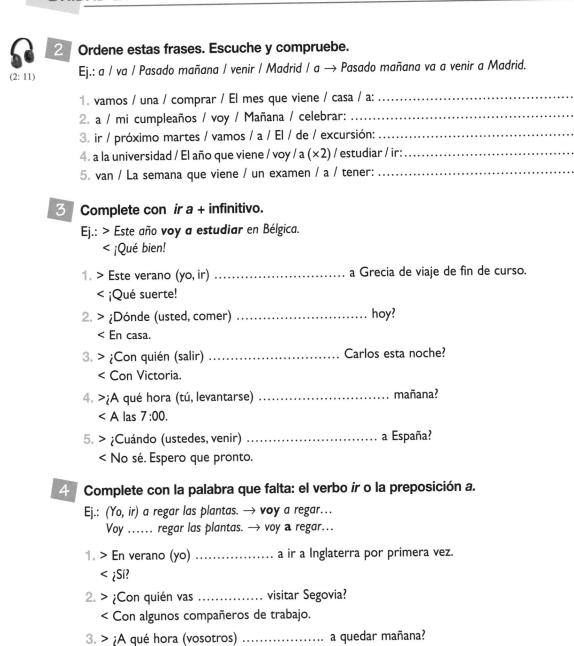

2 **Ordene estas frases. Escuche y compruebe.**

(2: 11)

Ej.: *a / va / Pasado mañana / venir / Madrid / a → Pasado mañana va a venir a Madrid.*

1. vamos / una / comprar / El mes que viene / casa / a: ....
2. a / mi cumpleaños / voy / Mañana / celebrar: ....
3. ir / próximo martes / vamos / a / El / de / excursión: ....
4. a la universidad / El año que viene / voy / a (×2) / estudiar / ir: ....
5. van / La semana que viene / un examen / a / tener: ....

3 **Complete con *ir a* + infinitivo.**

Ej.: > *Este año **voy a estudiar** en Bélgica.*
    < *¡Qué bien!*

1. > Este verano (yo, ir) .... a Grecia de viaje de fin de curso.
   < ¡Qué suerte!

2. > ¿Dónde (usted, comer) .... hoy?
   < En casa.

3. > ¿Con quién (salir) .... Carlos esta noche?
   < Con Victoria.

4. >¿A qué hora (tú, levantarse) .... mañana?
   < A las 7:00.

5. > ¿Cuándo (ustedes, venir) .... a España?
   < No sé. Espero que pronto.

4 **Complete con la palabra que falta: el verbo *ir* o la preposición *a*.**

Ej.: *(Yo, ir) a regar las plantas. → **voy** a regar...*
    *Voy ...... regar las plantas. → voy **a** regar...*

1. > En verano (yo) .... a ir a Inglaterra por primera vez.
   < ¿Sí?

2. > ¿Con quién vas .... visitar Segovia?
   < Con algunos compañeros de trabajo.

3. > ¿A qué hora (vosotros) .... a quedar mañana?
   < Muy pronto, vamos .... quedar a las 10:00.

4. > ¿Dónde están M.ª Jesús y Javi?
   < Están muy cansados, ... a acostarse ya.

5. > El año que viene (nosotros) .... a cambiar de piso.
   < ¡Qué bien! ¡Cuánto me alegro!

Practique cómo se usa

(2: 12)

5 **Escriba las preguntas a estas respuestas. Después, escuche y compruebe.**

Ej.: > *¿Qué vas a hacer esta noche?*
     < *¿Esta noche? Voy a ir con Luis a una sala de fiestas.*

1. > ¿..?
   < ¿El sábado? Vamos a Segovia.

2. > ¿..?
   < ¿Mercedes y Carmelo? Creo que van a la playa.

3. > ¿..?
   < ¿Salir esta tarde? Vale, ¿quedamos en la cervecería de la esquina?

4. > ¿..?
   < Pues esta tarde voy a estudiar en la biblioteca.

5. > ¿..?
   < Vamos a tomar un café con leche y un cortado.

6 **Escriba lo que van a hacer estas personas teniendo en cuenta su situación.**

Ej.: *María mañana tiene examen, esta tarde **va a estudiar**.*

1. Mañana me voy de viaje, hoy ....
2. Hoy estrenan la última película de Almodóvar, mañana ....
3. Mañana es tu cumpleaños, ...
4. La próxima semana viene David por primera vez a Madrid, y ....
5. Me gusta mucho la cultura maya, el año que viene ....

M I S   C O N C L U S I O N E S

7 **Marque verdadero (V) o falso (F).**

a. Entre el verbo *ir* y el infinitivo va la preposición *a*: ......
b. Si los pronombres van detrás del infinitivo, forman una sola palabra: ......
c. El infinitivo concuerda con el sujeto: ......
d. *Vamos a ir* es una construcción incorrecta: ......
e. Los pronombres siempre van delante de *ir*: ......

¡ F Í J E S E !

(2: 13)

Está riéndose.

Están durmiendo.

Está escuchando música.

A mí me gusta mucho leer. Leo muchísimo.

¿Y qué **estás leyendo** ahora?

Así se construye

	ESTAR + GERUNDIO		
Yo	estoy		
Tú	estás	**-ar**	**-er**	**-ir**
Vos	está	estudi -ar	comprend -er	escrib -ir
Él / ella / usted	está			
Nosotros /-as	estamos	↓	↓	↓
Vosotros /-as	estáis			
Ellos /-as / ustedes	están	estudi-**ando**	comprend-**iendo**	escrib-**iendo**

- El gerundio es invariable.

    Carmelo **está jugando** *con Ángela.*

    Mercedes **está jugando** *con Ángela.*

    Yo **estoy jugando** *con Ángela.*

- Cuando hay pronombres (→ Unidades 12 y 20), estos pueden ir delante del verbo *estar* o detrás del gerundio formando una sola palabra, pero no en medio.

    Victoria **se** *está duchando.*

    *Victoria está duchándo**se*** *y no Victoria está* ~~**se**~~ *duchando* (→ Unidad 20).

¡ATENCIÓN!

- Solo hay gerundios irregulares en los verbos que terminan en -*er* y en -*ir*:

    Dormir → d**u**rmiendo   Pedir → p**i**diendo   Reír → r**i**endo

    Leer → le**y**endo   Oír → o**y**endo   Ir → **yendo**

Así se usa

- Para hablar de acciones que se están realizando en el momento de hablar.

    > *Hola. ¿Qué* **estás haciendo?**

    < **Estoy estudiando.**

- Para hablar de acciones actuales aunque no se estén realizando en el momento de hablar.

    > *¿Qué* **estás haciendo** *ahora?*

    < **Estoy trabajando** *en un nuevo proyecto de la universidad.*

    > *¿A qué te dedicas ahora?*

    < *Pues* **estoy haciendo** *un curso sobre un nuevo programa informático.*

EJERCICIOS

Practique cómo se construye

1 **Escriba el infinitivo correspondiente.**

1. estudiando: ....*estudiar*............
2. saliendo:.....................................
3. corriendo: ....
4. andando: ....

5. comiendo: ....
6. llamando: ....
7. leyendo: ....
8. haciendo: ....

2 **Escriba el gerundio de estos verbos.**

1. reír: ....*riendo*.................
2. escuchar: ....
3. dormir: ....
4. poner: ....

5. beber: ....
6. escribir: ....
7. oír: ....
8. llegar: ....

3 Ordene estas frases. Después, escuche y compruebe.

(2: 14)

1. en / Está / restaurante / comiendo / un ....
2. viviendo / Bolivia / Ahora / en / estamos ....
3. clásica / escuchando / música / Estoy ....
4. mucho / estudiando / Estáis / últimamente ....

4 Complete estas frases.

Ej.: *¿Qué (ustedes, ver)* **están viendo?**

1. > ¿Qué (vosotros, ver) ....?
   < Una película de ciencia ficción.
2. > ¿Dónde están María y Silvia?
   < (Dormir) .... todavía.
3. > ¿Por qué (ellos, estudiar) .... tanto?
   < Porque tienen un examen.
4. > Rápido, chicos, que Ander ya (partir) .... la tarta de cumpleaños.
   < Ya vamos.
5. > ¿A qué hora te acuestas normalmente?
   < Depende, esta semana (yo, acostarse) .... a las 12.

Practique cómo se usa

5 Mire los dibujos y escriba seis diferencias.

jugar, llorar, hablar por teléfono, escuchar música, pasar la aspiradora, limpiar cristales, barrer, *pasear al bebé*, trabajar, *leer*

1. *El padre está leyendo* ....
   el periódico. ....
   ....
   ....
   ....
   ....
   ....
   ....
   ....
   ....
   ....
   ....
   ....

2. *El padre está paseando*
   al bebé.
   ....
   ....
   ....
   ....
   ....
   ....
   ....
   ....
   ....
   ....

6 **Cuente cómo es la vida de estas personas en este momento.**

Chus: es enfermera, ahora trabaja en una tienda y hace un curso de dos semanas sobre medio ambiente. También va a clases de baile.

Ej.: *Chus ahora **está trabajando** en una tienda y **está haciendo** un curso sobre medio ambiente, también **está yendo** a clases de baile.*

1. Jorge: es ingeniero, trabaja en una universidad. Hace obras en su casa y ahora vive en casa de un amigo.

   ....

2. Victoria: es bióloga y estudia alemán. Da clases en un colegio.

   ....

3. Merche: es economista y trabaja en el Ayuntamiento de Pontevedra. También prepara oposiciones.

   ....

M I S   C O N C L U S I O N E S

7 **Marque verdadero (V) o falso (F).**

a. La terminación del gerundio de los verbos en *-er* y en *-ir* es la misma: ......

b. Los pronombres pueden ir entre *estar* y el gerundio: ......

c. Los gerundios de los verbos en *-ar* y en *-er* no tienen cambios en las vocales: ......

d. El gerundio de *ir* es *yendo*: ......

e. El gerundio concuerda con el sujeto: ......

22 Tienes que dormir más

ALGUNAS PERÍFRASIS VERBALES

¡ FÍJESE !

(2: 15)

Hay que poner la mesa.

¿Y papá? ¿Sigue durmiendo?

Tienes que llamar a tu madre.

Termino de leer el periódico y la llamo.

Así se construye

PERÍFRASIS CON INFINITIVO	
Tener que + infinitivo	**Haber que + infinitivo**
tengo	
tienes	
tenés	
tiene + **que** + infinitivo	hay **que** + infinitivo
tenemos	
tenéis	
tienen	

Tienes que estudiar más o no vas a pasar de nivel.

Hay que comer sano y hacer deporte para llevar una vida saludable.

Empezar a + infinitivo	_Volver a_ + infinitivo	_Poder_ + infinitivo
empiezo	vuelvo	puedo
empiezas	vuelves	puedes
empezás	volvés	podés
empieza _a_ + infinitivo	vuelve _a_ + infinitivo	puede + infinitivo
empezamos	volvemos	podemos
empezáis	volvéis	podéis
empiezan	vuelven	pueden

¿Cuándo **empiezas a trabajar?** / Mi abuela quiere **volver a estudiar.** / ¿**Puedo abrir** la ventana?

Terminar de + infinitivo	**PERÍFRASIS CON GERUNDIO** _Seguir_ + gerundio
termino	sigo
terminas	sigues
terminás	seguís
termina _de_ + infinitivo	sigue + gerundio
terminamos	seguimos
termináis	seguís
terminan	siguen

Un momento, María, **termino de escribir** el correo y nos vamos.
Mi abuelo **sigue corriendo** cinco km todos los días.

- Los pronombres se pueden colocar delante del verbo conjugado o detrás del infinitivo o del gerundio, formando una sola palabra (→ Unidades 28 y 30).
  Lo tengo que leer / Tengo que **leerlo.**
  Lo sigue leyendo / Sigue **leyéndolo.**

Así se usa

- **Tener que** + infinitivo: expresa obligación o necesidad. Se usa para dar consejos e instrucciones.
  Tienes que comer más o vas a quedarte en los huesos.

- **Hay que** + infinitivo: expresa obligación o necesidad de manera general e impersonal. Se usa para dar consejos e instrucciones.
  Hay que dormir ocho horas para estar descansado por la mañana.

- **Poder** + infinitivo: expresa la capacidad y la posibilidad de hacer algo. También se usa para pedir permiso o para prohibir algo.
  Jasmina y Ruth **pueden hacer** el informe, son expertas en el tema. (Capacidad o posibilidad).
  ¿**Puedo pasar?** (Permiso).
  No se puede fumar dentro de la escuela. (Prohibición).

- **Empezar a** + infinitivo: indica el comienzo de una acción.

  *Este fin de semana **empiezo a ordenar** los armarios.*

- **Terminar de** + infinitivo: indica el fin de una acción.

  ***Termino de leer** el periódico y nos vamos a dar una vuelta.*

- **Volver a** + infinitivo: indica que una acción se va a hacer otra vez.

  *Otra vez **vuelve a hablar** de su pasado.*

- **Seguir** + gerundio: expresa que una actividad continúa todavía, que no se ha interrumpido o terminado.

  *Mi hermano **sigue hablando** por teléfono. Luego te llama.*

E J E R C I C I O S

Practique (cómo se construye)

1 **Complete con *que, con a, de* o Ø.**

1. Tienes ..*que*.. comer menos.
2. Empieza .... trabajar a las ocho.
3. Terminamos .... corregir mañana, yo, ahora, no puedo .... continuar.
4. Sigue .... jugando al fútbol todos los fines de semana.
5. Hay .... ordenar los archivos.
6. ¿Puedo .... salir un momento?
7. Ha vuelto .... comer carne.

(2: 16)

2 **Complete estos diálogos con los siguientes verbos: *tener, poder, empezar, volver, seguir, terminar, hay*. Después, escuche y compruebe.**

1. > ¿Vienes esta tarde al cine?

   < No, no .....*puedo*...... ir, ... que estudiar.

2. > ¿................. (tú) yendo al cine todas las semanas?

   < Sí, voy el día del espectador porque es más barato.

3. > Lo siento, no .... (yo) esperar, (yo) .... a comer ya, es que tengo prisa.

   < Tranquilo, hombre, no pasa nada.

4. > ¿A qué hora (tú) .... de ensayar con la orquesta?

   < A las nueve.

5. > ¿.................(usted) corriendo todos los días?

   > Sí, claro. Como dicen los médicos, ... que hacer ejercicio para .... estando joven.

3 Relacione ambas columnas y escriba la frase correspondiente. Escuche y compruebe.

(2: 17)

Ej. n.° **1. c.:** *Sigo estudiando* español porque quiero hablar perfectamente.

1. *Seguir (yo) estudiando español…*

2. *Tener (usted) que seguir todo recto hasta el final…*

3. *No poder (tú) pisar el césped…*

4. *Volver (yo) a hacer ejercicio…*

5. *Empezar (nosotros) a ahorrar todos los años en enero…*

6. *Terminar (vosotros) de discutir de una vez…*

a. y allí está el cine Ideal.

b. o llegamos tarde al teatro

c. *porque quiero hablar perfectamente.*

d. para ir de vacaciones.

e. porque está prohibido.

f. para estar sano.

2. ....

3. ....

4. ....

5. ....

6. ....

Practique (cómo se usa)

4 Complete con *hay que* o *tener que.*

1. > .....*Tienes que*...... hablar español con tus compañeros.

< Sí, ya lo sé, pero es difícil.

2. > .... ir a comprar, no queda nada en la nevera.

< Sí, esta tarde voy yo.

3. > No me encuentro bien.

< Pues .... ir al médico ya.

4. > ¡Quiero adelgazar!

< Es fácil, ... comer menos.

5. > Para la fiesta, ... que ordenar y limpiar toda la sala.

< Sí, pero ¿quién lo va a hacer?

5 Escriba a continuación de estas frases si expresan consejos, obligación, instrucciones, permiso, prohibición o petición.

Ej.: *Hay que pelar los tomates, lavarlos y cortarlos.* → *Instrucción impersonal.*

1. Tienes que estudiar más o no aprobarás el examen. ....

2. No se puede pisar el césped. ....

3. Tienes que leer esta novela, es muy buena. ....

4. Hay que torcer por la primera calle a la derecha. ....

5. ¿Puede usted ayudarme a subir la maleta? Es que no alcanzo. ....

6. ¿Puedo entrar con zapatillas a la piscina? ....

6 Complete las frases con una perífrasis adecuada. Le damos algunas expresiones.

cuidar las posturas	hacer dieta blanda	comer picante	tomar cosas frías
tomar zumos de limón caliente con miel		*llevar peso*	

1. Para el dolor de espalda, ...*no hay que llevar peso*... / ....

2. Cuando te duele el estómago, ... / ....

3. Si les duele la garganta, ... / ....

7 Transforme la parte subrayada en una construcción con perífrasis. Escuche y compruebe.

(2: 18)

Ej.: *Mañana es 1 de julio; es mi primer día de clase de español.* → *Mañana empiezo a estudiar español.*

1. Para sacar buenas notas <u>es necesario estudiar</u> mucho.

....

2. <u>Fumo de nuevo</u> cuando veo que la gente fuma.

....

3. Mi horario es de 9:00 a 17:00. <u>Son las 19:00 y estoy todavía en el trabajo.</u>

....

4. <u>No soy capaz de cerrar</u> la maleta, ¿me ayudas?

....

5. Como somos porteros, <u>es nuestra obligación</u> abrir y cerrar las puertas al público.

....

MIS CONCLUSIONES

8 **Marque verdadero (V) o falso (F).**

a. *Tener que* + infinitivo y *hay que* + infinitivo expresan lo mismo: ......

b. *Hay que* puede llevar gerundio detrás: ......

c. *Seguir* + gerundio expresa que una actividad continúa: ......

9 **Elija la respuesta correcta.**

1. Quiero ganar el campeonato de natación: ......

   a. Pues sigue entrenando todos los días.

   b. Hay que hacer dieta blanda.

2. Pedro y yo estamos enfadados: ......

   a. Pues termina de hablar con él.

   b. Tienes que hablar con él para aclarar las cosas.

3. Hace mucho calor: ......

   a. Hay que abrir la ventana.

   b. Empiezo a abrir la venta.

23

¿Dígame?
IMPERATIVO AFIRMATIVO

¡ F Í J E S E !

(2: 19)

1. Hipernet ordenadores, ¿**dígame?**

3. **Intente** esto: **apague** el ordenador y **reinícielo.** Si continúa el problema, **llámeme** de nuevo.

2. Hola, **mire,** tengo un problema: no puedo cerrar un documento.

¿Puedo abrir la ventana? Hace mucho calor.

Sí, sí, **ábrela.**

Así se construye

(2: 20)

Imperativo regular

	-AR	**-ER**	**-IR**
	HABLAR	RESPONDER	ESCRIBIR
Tú	habl-**a**	respond-**e**	escrib-**e**
Vos	habl-**á**	respond-**é**	escrib-**í**
Usted	habl-**e**	respond-**a**	escrib-**a**
Vosotros /-as	habl-**ad**	respond-**ed**	escrib-**id**
Ustedes	habl-**en**	respond-**an**	escrib-**an**

En Hispanoamérica y en algunas zonas de España (sur y Canarias) usan *ustedes* como plural de *tú* y *vos.*

¡ATENCIÓN!

La ortografía cambia pero no hay irregularidad en:
- Los verbos que terminan en *-gar:*
  llegar: lle**gue** / *pagar:* pa**gue**
- Los verbos terminados en *-car:*
  colocar: colo**que** / *sacar:* sa**que**

(2: 20)

Algunos imperativos irregulares

	HACER	PONER	TENER	DECIR	VENIR	SALIR
Tú	**haz**	**pon**	**ten**	**di**	**ven**	**sal**
Vos	hacé	poné	tené	decí	vení	salí
Usted	haga	ponga	tenga	diga	venga	salga
Vosotros /-as	haced	poned	tened	decid	venid	salid
Ustedes	hagan	pongan	tengan	digan	vengan	salgan

¡ATENCIÓN!

La forma de *vosotros /-as* siempre es regular y se forma así:
- HABLA**R** → **HABLAD**
- RESPONDE**R** → **RESPONDED**
- ESCRIBI**R** → **ESCRIBID**

• Cuando el imperativo lleva pronombres, estos van detrás del verbo formando una sola palabra.
> *¿Cierro la puerta?*
< *Sí, sí, ciérra**la**.*

*Si no llueve, lláma**me** y vamos a dar un paseo.*

Así se usa

• Para dar instrucciones.
> *¿Cómo hago la tortilla de patatas?*
< **Pela** *patatas,* **lávalas** *y* **pícalas. Corta** *cebolla,* **pon** *aceite en una sartén y...*

• Para pedir cosas, justificando la petición y concederlas.
> **Déjame** *el diccionario un momento, que no tengo el mío aquí.*
< *Mira, está ahí, encima de la mesa,* **cógelo.**

• Para conceder permiso.
> *¿Puedo encender la luz? No se ve nada.*
< *Sí, sí,* **enciéndela.**

• Para llamar la atención.
* **Perdonen,** *¿tienen hora?* / **Perdona,** *¿tienes hora?* / * **Mira.** *¡Está ahí!* / * **Mire.** *¡Está ahí!*

• En España, generalmente, para contestar al teléfono.
Almacenes Bodas, * **¿dígame?** / *¿diga?*
* *Perdonen, Mira, ¿Dígame? son formas de imperativo que han perdido su significado original o parte de él.*

EJERCICIOS

Practique (cómo se construye)

1 Fíjese en la forma que le damos y escriba las que le pedimos.

Diga	Vosotros /-as:	Tú:
Haz	Usted:	Vosotros /-as:
Salga	Tú:	Vos:
Laven	Usted:	Tú:
Saca	Ustedes:	Vosotros /-as:
Pon	Vos: *poné*	Usted:

2 Escriba el imperativo donde hay una cruz.

	Tú	Usted	Ustedes
Agitar		X *agite*	
Marcar		X	
Salir	X		
Pulsar		X	
Meter	X	X	
Girar	X		
Tener	X		
Poner			X
Hacer			X

(2: 21)

3 Ahora complete las frases con las formas anteriores. Después, escuche y compruebe.

1. ....*Agite*........ (usted) este medicamento antes de usarlo.

2. Para llegar a tiempo al aeropuerto, ... (tú) de casa una hora antes.

3. .... (usted) su tarjeta de crédito, ... su código personal y .... Continuar.

4. Abrir esta puerta no es fácil. Primero, ... (tú) la llave hasta el fondo, luego ....la suavemente a la derecha y a la izquierda y, sobre todo, ... paciencia.

5. Señores, por favor, ... atención a las instrucciones y .... todo lo que está escrito en su folleto.

Practique cómo se usa

4 **Primero, escriba el imperativo que falta y luego anote la frase en su columna correspondiente. Puede usar los siguientes verbos.**

apagar / andar / caminar / bajar / dejar / prestar / pasar / volver / poner / meter / colocar

1. .... (tú) me un lápiz, por favor, que no tengo.
2. .... (usted) hasta aquella esquina y .... unos cien metros.
3. .... (tú) la tele, es que no me concentro.
4. .... me (tú) la sal y la pimienta, por favor.
5. En la gasolinera, ... (usted) el cigarrillo.
6. .... (tú) las verduras en el cajón de abajo y .... los huevos en la puerta del frigorífico.

PEDIR ALGO	DAR INSTRUCCIONES
....	....
....	....
....	....

5 **Escuche y complete usando *pase, bájela, perdone, diga, mire, córtela / apáguela*.**

(2: 22)

1. > ¿.................?
   < ¿Está Antonio?
   > Lo siento, aquí no vive Antonio.
2. > ¿Puedo pasar?
   < Adelante, ..., por favor.
3. > ...., ¿puede indicarme cómo llegar hasta la playa?
   < Lo siento, no soy de aquí.
4. > ¿Puedo bajar la música?
   < Sí, claro, ... o .... si quiere.
5. > ...., ahí está ese actor tan famoso.
   < Sí. Es verdad.

MIS CONCLUSIONES

6 **Marque verdadero (V) o falso (F).**

a. Las formas *apague, practique, llegue, marque*, son irregulares: ......
b. Los pronombres forman una sola palabra con el imperativo: ......
c. *Diga* se usa para llamar la atención: ......
d. La forma de *vosotros /-as* siempre es regular: ......

LOS INDEFINIDOS: *POCO, MUCHO, BASTANTE, DEMASIADO, TODO*

¡ FÍJESE !

(2: 23)

Hay **pocos** tomates
en la nevera.

Hay **bastantes** tomates
en la nevera.

Carlos come **mucho.**

Juan come **demasiado.**

> ¿Qué pastel prefieres?

< **Todos.** Me gustan
todos los pasteles.

Así se construye

- Los determinantes indefinidos van delante del sustantivo y concuerdan con él.

Poco /-a /-os /-as	Bastante /-s	Mucho /-a /-os /-as-	Demasiado /-a /-os /-as
Poco dinero.	*Bastante dinero.*	*Mucho dinero.*	*Demasiado dinero.*
Poca leche.	*Bastante agua.*	*Mucha leche.*	*Demasiada leche.*
Pocos tomates.	*Bastantes tomates.*	*Muchos tomates.*	*Demasiados tomates.*
Pocas naranjas.	*Bastantes naranjas.*	*Muchas naranjas.*	*Demasiadas naranjas.*

- **Bastante /-s** cambia de número, pero no cambia de género.

- **Todo, toda, todos, todas** se combinan con otros determinantes (artículo, posesivo o demostrativo).

    Todas <u>las</u> *mañanas compro el periódico.*

    Todos <u>tus</u> *amigos vienen a la fiesta.*

- Los indefinidos también pueden funcionar como pronombres y tienen el mismo género y número que el sustantivo al que se refieren.

    Todas son rubias. / **Todo** es muy difícil.

- Los indefinidos funcionan como adverbios (invariables) cuando van delante de adjetivos y cuando acompañan a un verbo. *Mucho* no se combina con adjetivos.

    Poco claro; **bastante** claros; **demasiado** claro. / Mucho claro → **muy** claro.

    Estudio **poco**. / Estudio **bastante**. / Estudio **mucho**. / Estudio **demasiado**.

- Los pronombres y los adverbios pueden ir solos en respuesta a una pregunta anterior.

    > ¿Cuántas chicas hay en clase?

    < (Hay) **Pocas, bastantes, muchas, demasiadas.**

    > ¿Estudias?

    < **Mucho.**

Así se usa

Los indefinidos expresan una cantidad **no concreta.** Pueden referirse a una cantidad de cosas, al grado de una cualidad o al grado en que se realiza una acción.

- Cantidad de cosas (determinante o pronombre).
    - Van seguidos de sustantivos. Concuerdan con la cosa o la sustituyen para no repetirla.

        Hay much**as** manzan**as**.

        > ¿Hay manzanas?

        < Sí, **muchas** (manzanas).

- Grado de una cualidad (adverbio).
    - Van seguidos de adjetivos o adverbios y son invariables.

        Parecen **poco** inteligentes.

        Ese restaurante está **bastante** lejos de aquí.

    - Pueden aparecer solos para responder a una pregunta.

        > ¿Es simpático?

        < Sí, **bastante** (simpático). / < Sí, **mucho.**

- Grado en el que se realiza una acción (adverbio).
    - Modifican a los verbos y también son invariables.

        Leo **mucho** el periódico.

        Mi vecino y yo hablamos **poco**.

EJERCICIOS

Practique cómo se construye

1 **Subraye la respuesta adecuada.**

1. > ¿Tienes amigas españolas?
   < Bastante, bastantas, bastantes.

2. > ¿Hay agua fría en la nevera?
   < Poca, pocas, poco.

3. > ¿Estás bien?
   < No, tengo demasiado, demasiadas, demasiada preocupaciones.

4. > Piensan mucho, muchos, muchas en esas cosas.
   < Sí, somos demasiado, demasiadas, demasiados exigentes.

2 **Escriba todos los indefinidos posibles en cada caso.**

Ej.: *Tengo **pocos, bastantes, muchos, demasiados** amigos.*

1. ¿Hay .... estudiantes en clase de español?
2. Habla .... lenguas.
3. Necesito .... dinero.
4. Hay .... mantequilla.
5. Tengo .... problemas en el trabajo.

3 **Relacione las columnas y escriba el resultado colocando adecuadamente los indefinidos.**

Ej.: *Hablar poco, mucho, demasiado.*

Hablar	muchas
Personas	bastantes
Calor	poco
Colores	muy
Viajar	demasiado
Tranquilas	demasiadas
Pensar	muchos
Lejos	mucho

....
....
....

Practique cómo se usa

4 Observe los dibujos y complete con el indefinido adecuado.

La bicicleta corre ....

El coche corre ....

Es .... alto.

Hay .... cosas en esta maleta.

.... perros están ladrando.

5 Complete los diálogos con un indefinido adecuado. Escuche y compruebe.

(2: 24)

Ej.: > *Tengo diez móviles.*
   < *¿No son demasiados?*

1. > ¡55 grados! ¡Qué calor!
   < Sí, ...

2. > He comprado este estupendo bolígrafo que canta.
   < Es muy bonito, pero .... práctico, ¿no?

3. > Yo soy hijo único. ¿Y tú?
   < ¿Yo? ¡Qué va! Tengo .... hermanos: tres chicos y cinco chicas.

4. > ¿Comemos hoy fuera?
   < Lo siento, no puedo; hoy tengo .... dinero.

5. > ¿Qué haces para estar en forma?
   < Hago .... deporte: corro todos los días, voy al gimnasio, nado, hago
   kárate, juego al tenis...
   > Eso es ...., ¿no?

6. > Para estar bien, hay que tomar .... bebidas con alcohol.
   < Y dormir ....

7. > Carlos, recoge .... estas cosas antes de salir.
   < Lo siento, mamá, la verdad es que soy .... desordenado.

6 Lea esta lista de la compra para hacer un desayuno completo para dos personas.
Luego complete las frases.

> dos naranjas para zumo
> un huevo
> 18 barras de pan
> 6 manzanas
> un litro y medio de leche
> 2 cafés
> 14 bollos
> un yogur

a. Hay muchas ....   e. Hay mucha ....

b. Hay pocos ....   f. Hay .... huevos.

c. Hay bastante ....   g. Hay .... barras de pan.

d. Hay demasiados ....   h. Hay .... naranjas para zumo.

(2: 25)

7 Complete usando *poco, bastante, mucho* (2 veces), *demasiado* (2 veces) y *todo* (3 veces). Después, escuche y compruebe.

> ¡Ay, doctora! Me duele .... el cuerpo, ¿cree usted que es muy grave?

< ¿Pero le duele .... o ....?

> Me duele ...., de verdad.

< ¿Duerme usted bien?

> Sí, ...

< ¿Y qué tal come?

> Normal, de ...., pero nunca ....

< En estos últimos días, ¿ha hecho grandes esfuerzos?

> Bueno, sí, ayer pasé más de seis horas en el gimnasio y anteayer otras seis...

< Pero ¡hombre! Claro que le duele .... el cuerpo. Usted tiene unas agujetas terribles. Ha hecho .... ejercicio y no está acostumbrado.

MIS CONCLUSIONES

8 Señale la respuesta adecuada.

1. Los indefinidos expresan:
   a. Una cantidad no concreta.
   b. Una cantidad precisa.
   c. Una cantidad que hemos mencionado antes.

2. *Mucho* no puede ir:
   a. Delante de un nombre.
   b. Delante de un adjetivo.
   c. Detrás de un verbo.

9 Subraye SÍ o NO.

1. Los indefinidos SÍ/NO concuerdan con el nombre que va detrás.
2. Si van con adjetivos o con verbos los indefinidos SÍ/NO cambian de género y de número.
3. Los indefinidos SÍ/NO pueden ir solos.
4. SÍ/NO expresan cantidad de cosas, el grado de una cualidad o el grado en que se hace una acción.

25 ¿Saliste anoche?

PRETÉRITO INDEFINIDO REGULAR E IRREGULAR

FÍJESE!

(2: 26)

1. Al final, ¿**saliste** anoche?

2. No, no **salí.**
Me quedé en casa.

3. ¿Y qué **hiciste**?

4. **Alquilé** una película.

5. ¿Cuál?

6. Sé lo que **hicisteis** el último verano.

Así se construye

(2: 27)

• **Pretérito indefinido regular**

	-AR	**-ER**	**-IR**
	HABLAR	COMER	VIVIR
Yo	habl-**é**	com-**í**	viv-**í**
Tú / Vos	habl-**aste**	com-**iste**	viv-**iste**
Él / ella / usted	habl-**ó**	com-**ió**	viv-**ió**
Nosotros /-as	habl-**amos**	com-**imos**	viv-**imos**
Vosotros /-as	habl-**asteis**	com-**isteis**	viv-**isteis**
Ellos /-as / ustedes	habl-**aron**	com-**ieron**	viv-**ieron**

Los verbos en **-er** y en **-ir** tienen las mismas terminaciones en el indefinido regular.

¡ATENCIÓN!

La ortografía cambia pero no hay irregularidad en los siguientes casos:

– Los verbos que terminan en -*gar*:
llegar → lle**gué** / pagar → pa**gué**

– Los verbos terminados en -*car*:
expli*car* → expli**qué** / practicar → practi**qué**

– Los verbos terminados en -*zar*:
empe*zar* → empe**cé** / comenzar → comen**cé**

-126-

(2: 27)

• Algunos indefinidos irregulares

	TENER	HACER	PEDIR	DORMIR	LEER	SER / IR	DECIR
Yo	tuve	hice	pedí	dormí	leí	fui	dije
Tú / Vos	tuviste	hiciste	pediste	dormiste	leíste	fuiste	dijiste
Él / ella / usted	tuvo	hizo	pidió	durmió	leyó	fue	dijo
Nosotros /-as	tuvimos	hicimos	pedimos	dormimos	leímos	fuimos	dijimos
Vosotros /-as	tuvisteis	hicisteis	pedisteis	dormisteis	leísteis	fuisteis	dijisteis
Ellos /-as / ustedes	tuvieron	hicieron	pidieron	durmieron	leyeron	fueron	dijeron

Se conjugan como *TENER*:

ANDAR → *anduve*... / ESTAR → *estuve*... / PODER → *pude*... / PONER → *puse*...

Se conjugan como *HACER*:

QUERER → *quise, quisiste*... / VENIR → *vine, viniste*... / DAR → *di, diste*...

Se conjugan como *PEDIR*:

REÍR(SE) → *(se) rió, rieron*... / SEGUIR → *siguió, siguieron* / MENTIR → *mintió mintieron* / SENTIR → *sintió, sintieron* / PREFERIR → *prefirió, prefirieron* / REPETIR → *repitió, repitieron*

Se conjuga como *DORMIR*: MORIR → *murió, murieron*

Se conjuga como *LEER*: CAER(SE) → *(se) cayó, cayeron*

(2: 27)

¡ATENCIÓN! Se pronuncia *pude / pudo, puse / puso, tuve / tuvo, vine / vino, quise / quiso, hice / hizo, dije / dijo*. Es decir, la última sílaba NO es tónica.

Así se usa

El pretérito indefinido sirve para **narrar** en el pasado. Presenta las acciones enmarcadas en un periodo de tiempo determinado: *cinco años, media hora*, etc., **no como costumbres.**

• Expresa una acción terminada en un tiempo ya pasado; por eso se suelen utilizar marcadores como: *ayer, el año pasado, el lunes, hace tres años, en 2003, en verano, aquel día...*

Ayer vi a tu hermano.

Una mañana me levanté, hice las maletas y **me marché.**

• La acción puntual puede ocurrir una vez o varias veces.

Ayer **me encontré** con Marisa. / Ayer **me encontré** con Marisa **varias veces** en el súper.

• Sirve para ordenar una serie de acciones.

Ayer **llegué** tarde de trabajar, **cené** y **me acosté** temprano.

EJERCICIOS

Practique cómo se construye

1 Escriba el verbo en pretérito indefinido en la columna adecuada según su irregularidad.

a. *Mentir (yo)*
b. Morir (él)
c. Caer (ellos)
d. Tener (tú)
e. Dar (nosotros)
f. Poder (vosotros)
g. Seguir (ellos)
h. Venir (vosotros)

Yo hice	Tú estuviste	Nosotros pedimos	Ellos durmieron	Él leyó
		Yo mentí.		

2 Complete las formas de los pretéritos indefinidos.

1. Ayer (nosotros) estudi.*amos*........ los temas pendientes.
2. Aquel año (tú) perd.............. tu oportunidad para entrar en la empresa.
3. El año pasado Nicole y John aprend.............. mucho español.
4. El lunes pasado tú y yo pens.............. ya en eso.
5. En 1999 (yo) gan.............. un premio en un concurso de cuentos infantiles.

3 Elija la forma correcta según el ejemplo.

1. Apagué / apagé (verbo apagar).
2. Carguamos / cargamos (verbo cargar).
3. Saqué / sacé (verbo sacar).
4. Comencé / comenzé (verbo comenzar).
5. Entregué / entregé (verbo entregar).

4 Escriba los verbos en pretérito indefinido. Escuche y compruebe.

(2: 28)

1. Ayer (ir, nosotros) .... al cine después de salir del trabajo.
2. Anoche (ser, nosotros) .... un poco antipáticos con él.
3. El año pasado (ser) .... muy duro para tu madre.
4. El mes pasado Ana (ir) .... a Venezuela con una beca de la universidad.
5. El lunes (ir, yo) .... a la biblioteca a devolver el libro.
6. Aquella vez (ser, yo) .... reina por un día.

Practique (cómo se usa)

(2: 29)

5 Lea la agenda de Imanol y anote qué hizo todos los días de la semana pasada. Después, escuche y compruebe.

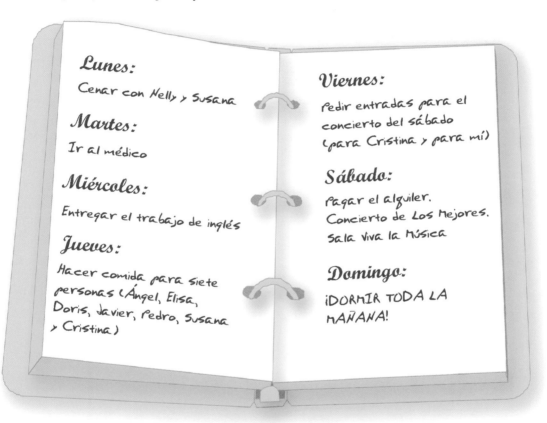

El lunes cenó con Nelly y Susana.

6 **Fíjese bien en la agenda de Imanol y responda a las preguntas.**

1. ¿Qué hicieron Ángel, Elisa, Doris, Javier, Pedro, Susana y Cristina el jueves pasado?:

....

2. ¿Qué hicieron Nelly y Susana el lunes pasado?

....

3. ¿Qué hizo Cristina el sábado pasado?

....

4. ¿Qué hicieron *Los Mejores* el sábado pasado?

....

7 **Y usted, ¿qué hizo ayer? Escriba frases con sentido. Use en todos los casos *y (e)* y *pero no*.**

1. Levantarse pronto

*Me levanté muy pronto, fui a trabajar **y** comí solo, **pero no** hice ejercicio.*.....................

2. Ir a trabajar

....

3. Llegar tarde al trabajo

....

4. Hacer ejercicio

....

5. Dormir la siesta

....

6. Comer solo

....

7. Ver la televisión

....

8. Hacer los ejercicios de español

....

9. Hablar por teléfono con un amigo (o con una amiga)

....

10. Estar en casa toda la tarde

....

11. Salir un rato al final de la tarde

....

12. Acostarse pronto

....

M I S   C O N C L U S I O N E S

8 **Elija la opción o las opciones correctas.**

1. ¿Qué irregularidad tienen en común los verbos *pedir, mentir, seguir?*

   a. irregulares en todas las personas;

   b. irregulares en las terceras personas: e > ie;

   c. irregulares en las terceras personas: e > i.

2. ¿Qué formas son correctas?

   a. aprendiamos;

   b. aprendimos;

   c. hicimos;

   d. hacimos.

3. ¿Para qué suele utilizarse el indefinido?

   a. para ordenar las acciones;

   b. para situar una acción en un tiempo determinado;

   c. para hablar de costumbres.

¡FÍJESE!

(2: 30)

La semana que viene **habrá** una ola de frío. **Descenderán** las temperaturas y **subirá** el nivel de los pantanos.

Dentro de poco **encontrará** a la mujer de su vida.

Así se construye

(2: 31)

Futuro simple regular. Se construye a partir del infinitivo más las terminaciones propias de futuro.

	HABL**AR**	LE**ER**	ESCRIB**IR**
Yo	hablar-**é**	leer-**é**	escribi-**ré**
Tú	hablar-**ás**	leer-**ás**	escribir-**ás**
Vos	hablar-**ás**	leer-**ás**	escribir-**ás**
Él / ella / usted	hablar-**á**	leer-**á**	escribir-**á**
Nosotros /-as	hablar-**emos**	leer-**emos**	escribir-**emos**
Vosotros /-as	hablar-**éis**	leer-**éis**	escribir-**éis**
Ellos /-as / ustedes	hablar-**án**	leer-**án**	escribir-**án**

(2: 31)

Algunos futuros irregulares

	TENER	HACER	DECIR
Yo	tend**ré**	ha**ré**	di**ré**
Tú	tend**rás**	ha**rás**	di**rás**
Vos	tend**rás**	ha**rás**	di**rás**
Él / ella / usted	tend**rá**	ha**rá**	di**rá**
Nosotros /-as	tend**remos**	ha**remos**	di**remos**
Vosotros /-as	tend**réis**	ha**réis**	di**réis**
Ellos /-as / ustedes	tend**rán**	ha**rán**	di**rán**

HABER: *Habrá.*

Todos los verbos, regulares e irregulares, tienen las mismas terminaciones.

Así se usa

- Para hablar de acciones futuras.

    Saldremos *de viaje después de comer.*
    En verano **iré** *a Barcelona.*

– Por eso, en muchas ocasiones lo usamos para hacer pronósticos y predicciones:

    Mañana **volverá** *el calor.*
    Este año **aprobarás** *todo el curso.*

– Expresiones que suelen acompañar al futuro: *mañana, pasado mañana… el lunes / el martes que viene / el martes próximo… dentro de tres días… / el mes que viene… el próximo año…*

EJERCICIOS

Practique cómo se construye

1   **Complete la tabla con la forma correcta del futuro.**

	SALIR	SACAR	IR	LLOVER	CUMPLIR
yo					
tú	*saldrás*				
vos					
él / ella / usted					
nosotros /-as					
vosotros /-as	*saldréis*				
ellos / ellas / ustedes		*sacarán*			

2 Y ahora, complete estos diálogos con las formas verbales adecuadas.

1. > El año que viene (nosotros, viajar) ......*viajaremos*....... a Inglaterra.

   < ¡Qué bien!

2. > Mañana (llover) .... con fuerza.

   < A ver si es verdad, necesitamos la lluvia.

3. > ¿Cuántos años (cumplir) .... la tía Angelita el mes que viene?

   < 70 o 71, no estoy segura.

4. > ¿Qué tal el curso?

   < Muy bien, estoy segura de que este año (yo, sacar) .... muy buenas notas.

5. > ¿Ya sabes lo que vas a hacer este verano?

   < Creo que (yo, ir) .... a Marruecos a ver a una amiga.

Practique (cómo se usa)

3 Complete estas frases con un verbo adecuado.

Ej.: *Esta semana no tenemos tiempo, pero la semana que viene* **compraremos** *el ordenador.*

1. Hoy está lloviendo, pero mañana .... buen tiempo.

2. Esta semana no voy a estudiar, pero la semana que viene .... mucho.

3. Esta semana no vamos al cine, pero la semana que viene .... dos veces.

4. Este año no saldré al extranjero, pero el próximo año .... a un país exótico.

5. Todos los días me levanto a las 6:00, pero mañana .... más tarde.

4 Complete con estas expresiones utilizando el futuro. Después, escuche y compruebe.

(2: 32)

---

celebrar las bodas de oro / *trasladarse a Australia* / ser una pianista famosa
comprarse un piso / terminar la universidad / ir allí

---

1. Carlos y Nora viven en Inglaterra, pero dentro de un año ....*se trasladarán a Australia.*....

2. Antonio y Carmen se casaron hace 49 años, el año que viene ....

3. Yo ahora vivo en un piso de alquiler, pero en enero ....

4. No conozco Japón, pero en primavera ....

5. María empezó a tocar el piano con 10 años; dentro de unos años ....

6. Estudiamos Ingeniería y el año que viene ....

5 Escriba lo que le ha dicho «el adivino» a estas personas.

Juan	Carlos y Rosa
1. *Conocer a una chica.*	1. No ir a la universidad.
2. Enamorarse.	2. Aprobar una oposición.
3. Casarse.	3. Viajar por el mundo.
4. Tener un buen trabajo.	4. No casarse.
5. Ganar mucho dinero.	5. Tocar 50 millones de euros en la lotería.
6. Disfrutar de sus hijos.	6. Invertir en Bolsa.

JUAN	CARLOS Y ROSA
1. *Conocerá(s) a una chica.*	1. ....
2.	2. ....
3.	3. ....
4.	4. ....
5.	5. ....
6.	6. ....

M I S   C O N C L U S I O N E S

6 Marque verdadero (V) o falso (F).

a. El futuro regular se forma a partir del infinitivo: ......

b. Los verbos irregulares tienen diferentes terminaciones que los regulares: ......

c. La terminación de los verbos en -*ar* es diferente a la de los verbos en -*er* y en -*ir*: ......

d. El futuro de *decir* es *deciré*: ......

e. Los pronósticos del tiempo suelen hacerse en futuro: ......

PRETÉRITO PERFECTO DE INDICATIVO

 FÍJESE!

(2: 33)

> Hoy **ha llovido** mucho.

1.

2.

> ¿Pero dónde **has estado**?

GGGRR

3.

> ¿**Has visto** alguna vez un extraterrestre?

> Nunca en mi vida **he visto** extraterrestres, ¿por qué lo preguntas?

Así se construye

(2: 34)

Pretérito perfecto (presente del verbo *haber* + participio)

			-AR	-ER	-IR
Yo	he		COMPRAR	COMER	VIVIR
Tú / vos	has		Compr-**ado**	Com-**ido**	Viv-**ido**
Él / ella / usted	ha	+ **participio** >			
Nosotros /-as	hemos				
Vosotros /-as	habéis				
Ellos /-as / ustedes	han				

Algunos participios irregulares

poner: *puesto*   escribir: *escrito*

hacer: *hecho*   romper: *roto*

abrir: *abierto*   ver: *visto*

decir: *dicho*   volver: *vuelto*

– El verbo *haber* y el participio son inseparables. No se puede introducir nada entre los dos.

> *He ~~ya~~ terminado.* → *Ya he terminado.*

– El participio es invariable.

> *¿Has visto a María?*

< *No, no la he vi~~sta~~.* → *No, no la he visto.*

Así se usa

• Expresa acciones o hechos terminados en un periodo de tiempo no concluido. Indica el resultado presente de un hecho pasado.

– Por eso suele ir acompañado de los marcadores temporales de tiempo donde está incluido quien habla o escribe: *este año, esta semana, hoy...* (estamos en este año, en esta semana, en el día de hoy).

> **Hoy** *ha nevado mucho.*

> **Esta semana** *hemos tenido un día de vacaciones.*

– También se usa con marcadores del tipo: *nunca, alguna vez, a veces, en toda mi vida, nunca, siempre,* etc.

> *¿Has estado* **alguna vez** *en México?*

> **Nunca** *(en toda mi vida / hasta ahora) he viajado a Colombia.*

> *¿**Alguna** vez has vivido fuera de tu país?*

< *Sí, he estado* **dos años** *en Venezuela y también he vivido* **cinco años** *en Ecuador.*

– Además, puede aparecer sin marcadores:

> *¿Dónde has comprado ese reloj?* (no sé cuándo, en algún momento hasta ahora).

< *Me lo han regalado* (no especifico cuándo, en algún momento).

> En muchas zonas hispanohablantes, dentro y fuera de España, este tiempo verbal se usa de forma distinta, o no se usa y en su lugar se prefiere el indefinido.

EJERCICIOS

Practique  cómo se construye

1 **Complete el pretérito perfecto.**

Ej.: *Esta mañana Juan no (venir)* **ha venido** *a clase.*

1. Yo nunca (estar) h.......... .... en Uruguay.
2. ¿Alguna vez Carlos y tú (trabajar) ha.......... .... fuera de vuestro país?
3. Marga y yo (terminar) ....mos .... el trabajo esta semana.
4. ¿Ustedes (pedir) h.......... .... ya el postre?
5. Federico, ¿(encontrar) h.......... .... las llaves?
6. > ¡Qué raro! Sara, Pablo y Claudia no (querer) ....n .... salir este fin de semana.
   < No sé, Pablo (estar) h.......... .... toda la semana con gripe.

 (2: 35)

2 **Complete con el verbo en pretérito perfecto. Escuche y compruebe.**

Ej.: *¡Yo no (decir)* **he dicho** *eso!*

1. ¡Nosotros no (hacer) .... una cosa así!
2. Yo no, tú (poner) .... aquí los papeles después de la reunión.
3. ¿Qué (vosotros, decir) ....? ¡Eso no es justo!
4. ¿(Ver) .... ustedes mi película? ¡Qué sorpresa!
5. ¿Por qué (tú, volver) .... a casa de tus padres?
6. No me (tú, escribir) .... un solo WhatsApp.
7. En Chueca (ellos, abrir) .... un restaurante argentino buenísimo.
8. Ana está muy cansada porque esta mañana (madrugar) ....
9. ¡Qué delgado está Hugo! Creo que (hacer) .... dieta este verano.

Practique cómo se usa

 (2: 36)

3 **Fíjese en las siguientes frases del ejercicio 2 y añada uno de estos marcadores temporales (uno diferente en cada caso). Después, escuche y compruebe.**

ahora / en nuestra vida / esta mañana / recientemente / en estas últimas semanas

1. ¡Nosotros no (hacer) .... una cosa así ....!
2. Yo no, (tú, poner) .... los papeles aquí después de la reunión.
3. ¿Por qué (tú, volver) .... a casa de tus padres?
4. No me (tú, escribir) .... un solo WhatsApp ....
5. En Chueca (ellos, abrir) .... un restaurante argentino buenísimo.

4 Escribe preguntas adecuadas para las siguientes respuestas combinando, si se puede, elementos de los tres grupos.

| estar / decir / terminar / desayunar | esta mañana / alguna vez / nunca | en México / una mentira |

1. > ¿ *Has estado* ....?
   < Yo no, pero mi novio sí y dice que es un país maravilloso.
2. > ¿..?
   < Perdona, ¿puedes esperar cinco minutos? Solo tengo que escribir una frase más.
3. > ¿..?
   < Nosotros, chocolate con churros, ¿y tú?
4. > ¿..?
   < Bueno, nunca, nunca..., alguna vez he mentido, pero en cosas sin importancia.

5 Lea las agendas de Mario y Celia, subraye los aspectos coincidentes. ¿Qué han hecho hoy Mario y Celia?

Ej.: *Los dos* **han ido** *a trabajar, pero Mario* **ha salido** *a las 2 y Celia a las 3. Mario...*

Agenda de Mario	Agenda de Celia
Entrar a trabajar una hora antes (salir a las 2). Ir a buscar a los niños y llevarlos al dentista (5.30). Escribir informe para mañana. Hacer la compra para el fin de semana. Llamar a Celia (invitarla a cenar, ¿el lunes?).	Entrar más tarde a trabajar (10.00). Salir a las 3. Comer con el jefe y los compañeros (3.30). Escribir informe. Hacer la compra para el fin de semana. Llamar a Mario (invitarlo a cenar el lunes).

MIS CONCLUSIONES

 Elija la opción correcta.

1. a. El pretérito perfecto siempre lleva un marcador temporal.
   b. El pretérito perfecto puede ir solo.
2. a. El pretérito perfecto expresa acciones sin precisar el tiempo porque se usa para acciones no acabadas.
   b. El pretérito perfecto expresa acciones dentro de un presente muy amplio que llega hasta ahora.

28 La compré en Perú
LOS PRONOMBRES DE OBJETO DIRECTO

FÍJESE!

(2: 37)

¡Qué mochila tan bonita!

¿Te gusta? La compré en Perú.

¡Vaya! Entonces aquí no puedo comprarla.

Sí, sí, la puedes comprar muy parecida en una tienda de El Rastro.

1.

¿Te gusta ese cuadro?

Pues cómpralo.

Sí, mucho.

El otro día vi a tu vecina.

¡Ah! ¿Sí? ¿Dónde la viste?

Por la calle, con tu marido... Los vi entrar en el cine...

2.

3.

Así se construye

• **La forma**

Pronombres sujeto	Pronombres de objeto directo	
	Masculino	**Femenino**
Yo	Me	Me
Tú / vos	Te	Te
Él / ella / usted	Lo / Le	La
Nosotros /-as	Nos	Nos
Vosotros /-as	Os	Os
Ellos /-as / ustedes	Los	Las

• **La posición**

– Los pronombres de objeto directo van **delante del verbo**.

    < *¿Al final encontraste tus gafas?*

    > *Sí, **las** encontré en el cubo de la basura.*

– Con el imperativo afirmativo (→ Unidad 23) van unidos a la forma verbal en una sola palabra.

    > *Mira, mira a esa chica.*

    < *¿Cuál?*

    > *Esa, esa de ahí, **míra<u>la</u>**. ¿Pero dónde están tus gafas?*

– Con el infinitivo y el gerundio (→ Unidades 20, 21, 22 y 30) pueden ir delante del verbo conjugado o detras del infinitivo o del gerundio, formando una sola palabra.

    > *Quiero comprar unas sillas como las tuyas.*

    < *Puedes **comprar<u>las</u>** en la tienda de mi hija. / **Las puedes comprar** en la tienda de mi hija.*

    < *Y tus gafas, ¿dónde están?*

    > ***Las están arreglando*** *en la óptica. / **Están arreglándo<u>las</u>** en la óptica.*

Así se usa

• El objeto directo completa el significado de determinados verbos expresando qué *compramos, vemos, conocemos*, etc.

    Veo *muy bien. No tengo problemas de visión.*

    *Veo **la televisión** por la noche.*

• El objeto directo puede referirse a personas; en este caso siempre lleva delante la preposición *a*.

    *No he visto **a mi hijo** en todo el día.*

• Los pronombres de objeto directo sirven para evitar la repetición de palabras ya mencionadas.

    > *Escucho **la radio** todas las mañanas.*

    < *Pues yo **la** escucho muy poco.*

    > *¿Ves **al chico** de verde?*

    < *No, no **lo** veo, ¿dónde está? / No, no *le veo.*

• Los pronombres de objeto directo pueden referirse a cosas, ciudades, ideas, personas...

    > ***Os** veo muy cansados.*

    < *Sí, es que no hemos dormido muy bien.*

    > *¿Piensas que eso es injusto?*

    < *Sí, sí **lo** pienso.*

* El uso de **le** en vez de **lo** solo es posible si se refiere a personas.

EJERCICIOS

Practique cómo se construye

1 **Transforme las frases con el promombre de OD correspondiente.**

Ej.: *Veo poco la televisión.* → *La veo poco.*

1. Pongo música clásica para trabajar: ....
2. Leo el periódico antes de dormir: ....
3. Conocí a sus padres el año pasado: ....
4. Subrayo los libros cuando leo: ....
5. Quiero mucho a mis gatos: ....
6. No enciendo el ordenador todos los días: ....
7. He abierto la ventana porque hace calor: ....
8. Veo a mis amigas una vez a la semana: ....
9. No he comprado vino: ....
10. Espero a Francisco en casa: ....

2 **Elija la opción correcta.**

Ej.: *¿Te gusta el collar?* **Lo** / **me** *compré en Perú.*

1. Suena el móvil, ¿*te* / *lo* oyes?
2. Necesito unas zapatillas de deporte. Voy a *comprarlas* / *comprarlos* ahora mismo.
3. Estáis muy lejos, no *te* / *os* veo bien.
4. Si vienen conmigo, *los* / *me* invito a tomar algo.
5. ¿Por qué no pones la radio y *lo* / *la* oímos juntos?

3 **Ordene la parte subrayada.**

Ej.: *Puedes la comprar* → *Puedes* **comprarla**. / **La** *puedes comprar.*

1. ¿Te gustan esos pantalones? Pues los compra: ....
2. Luego te dejo el diario, no leído lo he todavía: ....
3. ¿Y Santi? Lo esperando estoy: ....
4. ¿Tienes algún mensaje para Clara? voy a La ver hoy: ....
5. Si te gusta esta película, puedes la ver en el cine de mi barrio: ....
....

Practique cómo se usa

(2: 38)

4 **Conteste usando el pronombre adecuado y transformando el infinitivo. Escuche y compruebe.**

Ej.: > *¿Quieres un cuscús?*
  < *¡Sí! Nunca **lo he comido** (comer).*

1. > ¿Recibiste el paquete con los libros?

   < No, todavía no .... (recibir).

   > ¡Qué raro!

2. > ¿Cómo está tu hijo?

   < ¿La verdad? Hace una semana que no .... (ver).

   > ¿Y no estás preocupada?

3. > ¿Qué hago con estas cajas?

   < .... en mi despacho (colocar).

4. > ¿Venís a la cena de los alumnos?

   < .... esta mañana, pero no podemos ir (invitar).

   > ¡Qué pena! Bueno, entonces .... a los dos mañana en el trabajo (ver).

5. > ¡Hola, Pepe! ¿Cómo estás?

   < Estupendamente. Yo también .... muy bien a ti (ver).

6. > ¿Vais a la fiesta de la embajada?

   < Sí, ... oficialmente (invitar).

7. > Estoy sin coche. Está averiado.

   < ¡Hombre! Pues .... al taller (llevar).

8. > Gómez, ese informe es muy urgente.

   < Ya casi está, señora Hernández, ... (estar terminando).

9. > ¡Qué bonitos son esos tapices!

   < Están hechos a mano. .... y .... en un mercadillo de La Paz (ver y comprar).

(2: 39)

5 **Complete estos mensajes con los pronombres que faltan. Escuche y compruebe.**

CORREO ELECTRÓNICO 1

Hola, Robert:

No te he escrito antes porque me estoy cambiando de casa, la nueva .... tengo patas arriba y no he tenido tiempo para nada. El ordenador todavía está en una caja y no .... uso desde la semana pasada. ¡Fíjate! ¡Cuatro días sin escribir nada sobre el trabajo para la clase de cultura! Ahora tengo que darme mucha prisa porque .... tengo que presentar la próxima semana. Eso sí, estoy mandando mensajes y WhatsApps con el móvil: .... envío todo el tiempo y a todos los amigos. Así me siento acompañada. ¿Sabes algo de Juan y Ana? Vinieron a buscar......... pero no me encontraron en casa. Con todo este lío no he tenido tiempo de llamar.........

¿Cuándo .... veo? ¿Tú también estás muy ocupado?

Un beso.

Irene

CORREO ELECTRÓNICO 2

Hola, Irene:

¡Qué bien tener noticias tuyas! ¡......... echo de menos! Si quieres .... puedo ayudar con la nueva casa y así .... vemos y charlamos. Otra cosa, ¿sabes que tengo varios CD tuyos? Ya te ....puedo devolver. Sí, ya sé que estarás pensando también en las novelas que tengo, pero todavía no .... he leído todas. ¿......... necesitas? ¿Te .... llevo?

Juan y Ana están bien. No .... veo mucho pero .... llamamos a menudo. Lláma......... Se pondrán muy contentos.

Oye, ¡y no .... olvides y escribe pronto!

Otro beso para ti.

Robert

Relacione y escriba la frase correspondiente.

1. Lo escribió Cervantes	a. La alfombra persa
2. Los conocí en clase de español	b. A Mila y a Eduardo
3. La están limpiando en la tintorería	c. A mis hermanas
4. Lo / le vi ayer en el cine	d. A mis amigos suecos
5. Las fui a buscar al colegio	e. A Marisa
6. No los veo desde el año pasado	f. A César
7. La he llamado varias veces	g. *El Quijote*

1. ....

2. ....

3. ....

4. ....

5. ....

6. *A Mila y a Eduardo no los veo desde el año pasado.*..

7. ....

MIS CONCLUSIONES

7 **Marque verdadero (V) o falso (F).**

a. El objeto directo es necesario con todos los verbos: ......

b. Los pronombres de objeto directo evitan las repeticiones: ......

c. Los pronombres de objeto directo pueden colocarse delante o detrás del verbo: ......

d. *Me, te, nos, os* no son pronombres de objeto directo: ......

e. Los pronombres forman una sola palabra con el imperativo afirmativo: ......

29

Antes salía todos los días
PRETÉRITO IMPERFECTO DE INDICATIVO

¡FÍJESE! 1.

(2: 40)

¿Y tú de joven **salías** mucho?

Sí, casi siempre **cenaba** fuera, **me acostaba** tarde... Claro, yo **era** entonces más activo y **me gustaba** hacer muchas cosas.

¡Qué guapo **estabas** en esta foto! ¿Qué edad **tenías**?

Hum, cinco años.

2.

Así se construye

(2: 41)

Pretéritos imperfectos regulares

	-AR Hablar	-ER Comer	-IR Vivir
Yo	habl-**aba**	com-**ía**	viv-**ía**
Tú / vos	habl-**abas**	com-**ías**	viv-**ías**
Él / ella / usted	habl-**aba**	com-**ía**	viv-**ía**
Nosotros /-as	habl-**ábamos**	com-**íamos**	viv-**íamos**
Vosotros /-as	habl-**abais**	com-**íais**	viv-**íais**
Ellos /-as / ustedes	habl-**aban**	com-**ían**	viv-**ían**

Pretéritos imperfectos irregulares

	Ser	Ir	Ver
Yo	era	iba	veía
Tú / vos	eras	ibas	veías
Él / ella / usted	era	iba	veía
Nosotros /-as	éramos	íbamos	veíamos
Vosotros /-as	erais	ibais	veíais
Ellos /-as / ustedes	eran	iban	veían

— Casi todos los verbos en imperfecto de indicativo son regulares.
— Las terminaciones de los verbos en **-er** y en **-ir** son iguales.

Así se usa

- Lo usamos para describir en el pasado.
  - Describimos personas:

    *Mi hermano pequeño **era** rubio y muy nervioso y **llevaba** el pelo muy corto.*
  - Describimos objetos:

    > *¿Cómo **era** su falda?*

    < ***Era** de color rojo y negro, **tenía** dibujos extraños y **era** muy estrecha.*
  - Describimos lugares:

    *Mi primera casa **era** grande y **tenía** un jardín precioso.*

- Lo usamos para hablar de acciones habituales en el pasado (equivale al presente habitual).

    *Todos los días **me levantaba** temprano, **iba** a correr al Retiro y luego **iba andando** al trabajo.*
  - Por eso lo usamos para contrastar con el presente:

    *Antes **tenía** el pelo muy largo pero ahora siempre lo **llevo** corto.*
  - También lo usamos para expresar la edad y la hora en pasado.

    *En aquella época yo **tenía** 17 años.*

    ***Eran** las diez de la noche.*

EJERCICIOS

Practique cómo se construye

1 **Indique los verbos que pueden ir con las terminaciones indicadas.**

estudiar, correr, escribir, conocer, estar, empezar, salir, pedir, preguntar, beber, pensar, subir

1. -aba: *estudiar, estar, empezar, preguntar, pensar.*
2. -íamos: ....
3. -abas: ....
4. -ías: ....
5. -ía: ....
6. -aban: ....
7. -íais: ....
8. -ábamos: ....
9. -ían: ....

2 **Escriba los verbos del ejercicio anterior en la forma que corresponde a la terminación y añada el pronombre sujeto.**

1. -aba: *yo / él o ella / usted estudiaba, estaba, empezaba, preguntaba, pensaba.*
2. -íamos: ....
3. -abas: ....
4. -ías: ....
5. -ía: ....
6. -aban: ....
7. -íais: ....
8. -ábamos: ....
9. -ían: ....

(2: 42)

3 **Complete los enunciados en pasado. Después, escuche y compruebe.**

Ej.: *Por las mañanas mis compañeros (preparar)* ....*preparaban*.... *el desayuno.*

1. Todos los días mi hermano y yo (llegar) .... tarde al colegio y mi madre se (enfadar) .... mucho.

2. En aquella época yo (tener) .... solo diez años.

3. ¿Ustedes antes (vivir) .... en esta casa?

4. Laura (ir) .... a clase en bicicleta, nosotros siempre la (ver) .... desde el autobús.

5. < ¿Qué hora (ser) .... en ese momento?

   > No sé, yo no (llevar) .... reloj.

Practique *cómo se usa*

4 **Describa cómo eran el objeto y las personas siguientes utilizando las palabras de las dos columnas.**

1. Una caja de regalo (para sombreros)   **2. Tus dos amigos de la infancia**

Ser	muchos colores.	Ser	los ojos oscuros.
Abrirse	*grande y redonda.*	Ser	muy divertidos.
Dentro haber	un sombrero azul.	Tener	de forma muy moderna.
Tener	por arriba.	Tener	marroquíes.
		Vestir	catorce años.

1. *Era grande y redonda.* ....
   ....

2. ....
   ....

(2: 43)

5 **Complete este diálogo. Escuche para comprobar sus respuestas.**

> Antes me (preguntar, tú) .... todos los días por mi trabajo, mi vida te (interesar) .... Ahora (ser) .... egoísta, solo (pensar) .... en ti.

< ¿Yo? ¿Y tú? Antes (ser) .... muy alegre y divertida, ahora siempre (estar) .... triste y de mal humor y ya no te (reír) .... Antes todo te (gustar) .... Siempre (nosotros, ir) .... con gente, con amigos; ahora (quedarse, nosotros) .... todos los días en casa, sin hacer nada. Antes (tú, ver) .... el mundo con alegría, ahora todo te parece feo y desagradable.

> Entonces (tener, nosotros) .... veinte años, (ser) .... jóvenes, pero ya no (tener) .... veinte años. Entonces (estudiar, nosotros) .... en la universidad y yo no (pensar) .... en problemas en el trabajo; por eso (ser, nosotros) .... más alegres y divertidos y nos (ver) .... casi todos los días. Las cosas ya no (ser) .... así, y tus amigos (tener) .... sus problemas y nosotros, los nuestros.

< Tienes razón, pero... ¿no (nosotros, vivir) .... con más intensidad antes?

> No, Carlos, ahora (nosotros, vivir) .... con más intensidad, pero de otra manera y yo no te (querer) .... más antes, pero en una cosa tienes razón: tengo que ser más positiva.

6 **Completa con la información de la agenda.**

Ej.: *Todas las semanas quedaba con un amigo en el café* El granito.

Quedar en el café El granito. Comer con María (15.30). **Lunes.**	Comer con María (15.30). Ver fútbol con amigos. **Martes.**	Comer con María (15.30). Cine a las ocho. **Miércoles.**	Comer con María (15.30). **Jueves.**	Comer con María (15.30). Salir de tapas. **Viernes.**
Quedar en el café El granito. Comer con María (15.30). **Lunes.**	Comer con María (15.30). Ir al médico. **Martes.**	Comer con María (15.30). Preparar conferencia. **Miércoles.**	Comer con María (15.30). Ver fútbol con amigos. **Jueves.**	Comer con María (15.30). Salir de tapas. **Viernes.**
Quedar en el café El granito. Comer con María (15.30). **Lunes.**	Comer con María (15.30). Dar conferencia a las siete. **Martes.**	Comer con María (15.30) Cine a las seis. **Miércoles.**	Comer con María (15.30). Ver fútbol con amigos. **Jueves.**	Comer con María (15.30). Salir de tapas. **Viernes.**

Todos los días: ....

Algunos miércoles: ....

Los viernes / todos los viernes: ....

Algunos días: ....

MIS CONCLUSIONES

7 **Marque verdadero (V) o falso (F).**

a. El imperfecto se usa para hablar de acciones habituales del pasado: ......

b. El imperfecto se usa para hablar de acciones que duran mucho: ......

c. El imperfecto se usa para describir: ......

8 **Elija la opción correcta.**

a. Tuve / tenía siete años.

b. Eran / fueron las doce.

30 ¿Me compras esos pendientes?

LOS PRONOMBRES DE OBJETO INDIRECTO. COMBINACIÓN DE PRONOMBRES DE OD Y OI.

FÍJESE!

(2: 44)

1.

¿Te gustan esos pendientes?

Sí, mucho, ¿**me los** compras?

¿**Le** compramos estos pendientes a Marta?

Pues no, porque ya **se los** ha comprado su madre.

¿**Le** han gustado **a tu hija** los pendientes?

2.

3.

Así se construye

• **La forma**

Pronombres sujeto	Pronombres de objeto indirecto	
	Masculino y femenino	
Yo	(A mí)	**Me**
Tú / vos	(A ti / a vos)	**Te**
Usted	(A usted)	**Le**
Él / ella	(A él / ella)	**Le**
Nosotros /-as	(A nosotros / nosotras)	**Nos**
Vosotros /-as	(A vosotros / vosotras)	**Os**
Ustedes	(A ustedes)	**Les**
Ellos /-as	(A ellos / ellas)	**Les**

• **La posición**

– Los pronombres de objeto indirecto van **delante del verbo.**

  *Por su cumpleaños **le** compré unos pendientes. / ¿**Te** pongo más ensalada?*

– En la misma frase podemos encontrar un pronombre de objeto directo y otro de objeto indirecto. En este caso, el de objeto indirecto va delante.

  > *¿Quién te ha prestado ese coche?*

  < ***Me lo** ha prestado mi primo. ¿Te gusta?*

– Con el infinitivo y el gerundio (→ Unidades 20, 21, 22 y 28) pueden ir delante del verbo conjugado o detrás del infinitivo o del gerundio formando una sola palabra.

  *¿**Me puede** poner más ensalada? / ¿Puede **ponerme** más ensalada?*

  *A Juan le duele la pierna y **le estoy dando** un masaje / **estoy dándole** un masaje.*

– Con el imperativo afirmativo (→ Unidad 23) van unidos a la forma verbal en una sola palabra.

  > *¿Te gustan esos guantes?*

  < *Sí, mucho, ¡**cómpramelos,** por favor!*

– Cuando los pronombres **le y les** van seguidos de **lo, la, los, las,** se convierten en **se.**

Le
Les } + lo / la / los / las → **se** < → lo
→ la
→ los
→ las

  > *¿**Le** regalamos este libro a Luis?*
  < *No, ya **se lo** regalé yo el año pasado.*

¡ATENCIÓN!

Con *hay que* + inf. los pronombres OD y OI siempre van detrás del infinitivo:

*Hay que / **decírselo.** * Se lo hay que decir.*

Así se usa

• Los pronombres de objeto indirecto acompañan a verbos como *gustar, encantar, interesar, doler,* etc. (→ Unidad 10) para expresar quién experimenta el gusto, el interés, el dolor, etc.

  > ***Nos** gusta estudiar español. / < A nosotros también. ¡**Nos** encanta!*

• Con determinados verbos, expresan el destinatario.

  *¿**Me** (a mí) prestas tu bolígrafo? / **Os** (a vosotros) he traído unos refrescos.*

  *¿**Les** (a ustedes) sirvo más leche?*

• A menudo, los pronombres de objeto indirecto repiten el complemento indirecto.

  *¿**Les** apetece **a tus padres** salir hoy al campo? / Mira la corbata que **le** compré a **Luis.***

• Las construcciones **a mí, a ti, a usted,** etc., acompañadas de **me, te le,** etc., solo son necesarias para contrastar entre varias personas (→ Unidad 10).

  *No **te** ha comprado los pendientes **a ti, me** los ha comprado **a mí.***

¡ATENCIÓN!

* A mí los das → Me los das a mí. / Me los das.

EJERCICIOS

Practique cómo se construye

1 **Transforme las frases según el ejemplo. Después, escuche y compruebe.**

(2: 45)

Ej.: *Vendí el coche **a mi vecino.** → **Le** vendí el coche.*

1. Dieron la noticia <u>a los alumnos</u>. → ....
2. He comprado regalos <u>a mis hijas</u>. → ....
3. No echo mucha sal <u>a la ensalada</u>. → ....
4. He puesto la correa <u>al perro</u>. → ....
5. Enviaré flores <u>a Mar</u>. → ....

2 **¿A qué persona se refieren los pronombres?**

Ej.: *Le doy clase de español. → **A Johan (a él).***

1. ¿Le han dado la beca?	A mis padres
2. No me dices la verdad.	A nosotros
3. ¿Nos trae la cuenta?	A mi abuelo
4. Les enviaré un ramo de flores.	A mí
5. Te escribí la semana pasada.	A Martina
6. Le llevo a casa el pan.	A ti

3 **Corrija las frases incorrectas.**

Ej.: *A ti duelen las muelas. → (A ti) **te** duelen las muelas.*

1. A mí interesa mucho el cine español ....
2. Nos encanta pasear por la montaña ....
3. ¿Han contado a usted las novedades? ....
4. Preparé a ti tu postre preferido ....
5. Solo le lo he contado a mis amigos ....

Practique cómo se usa

4 **Responda según el modelo. Después, escuche y compruebe.**

(2: 46)

Ej.: > *¿Le han gustado a tu hija las gafas?*
   < *No sé. Todavía no (dar) <u>a ella</u>. → Todavía no **se las he dado.***

1. > ¿Le compramos este pañuelo <u>a Beatriz</u>?
   < Vale, y (dar) por su cumpleaños. ....

2. > ¿Dónde está tu tapiz peruano?

< (Regalar) <u>a una amiga</u>. Yo vuelvo a Perú el año próximo. ....

3. > ¿Has enviado el trabajo <u>a tu profesora</u>?

< No, (enviar) el lunes que viene. ....

4. > Estoy buscando las llaves de repuesto.

< (Prestar, yo) <u>a Sandra</u>, ella ha perdido las suyas. ....

5 **Complete los diálogos, con los pronombres necesarios, para conquistar a su chico o a su chica.**

Ej.: < *Jefe, ¿adónde mando las flores para su novia?* > **Mándaselas** *a su casa.*

1. Él: .... enviaré flores, mi amor.

Ella: ¿........................ enviarás todos los días?

2. Él: ¿......... dejarás tu coche descapotable algún día?

Ella: Mejor, ... regalo, cariño.

3. Ella: Mira, ¡qué anillo! Es precioso.

Él: Yo .... compraré mañana. Ahora la joyería está cerrada.

4. Ella: Mi madre .... preparaba unas comidas deliciosas.

Él: Yo también .... voy a preparar, mi vida.

En resumen: Él .... enviará flores y .... comprará un anillo y .... preparará unas comidas deliciosas y ella .... regalará su coche descapotable.

6 **Aquí tiene una lista y unas personas. ¿Cómo distribuimos cada cosa? Por favor, justifique su respuesta.**

Ej.: *A Juan no le prestamos el coche porque es poco cuidadoso.*

El coche (nuevo)	Regalar	Ricardo, muy friolero
Postal de felicitación	Enviar	Lucía y Darío, el lunes cumplen un año de casados
Ordenador portátil	Prestar	Sonia, viaja mucho por trabajo
Zapatillas de invierno	Comprar	Juan, poco cuidadoso

M I S   C O N C L U S I O N E S

7 **Marque verdadero (V) o falso (F).**

a. Cuando hay dos pronombres, el de objeto indirecto va en primer lugar: ......

b. *Les lo he dado* es una posibilidad correcta: ......

c. *A mí, a ti, a usted,* acompañan siempre a *me, te, le,* etc.: ......

d. Los pronombres pueden repetir el objeto indirecto: ......

Ahora leo más que antes
LOS COMPARATIVOS NO LÉXICOS

i FÍJESE!

ANTES

Sra. Ríquez   Sra. Millonetis   Sra. Dinerón

DESPUÉS

(2: 47)

A. > Señora Ríquez, después de ganar el premio, su vida es diferente, ¿verdad?

< Pues sí. Ahora viajo y **leo más que** antes. Trabajo **mucho menos**… Disfruto **mucho más** (que antes).

B. > Señora Millonetis, ¿ha cambiado su vida después de ganar el premio?

< ¡¡Mucho, mucho!! Tengo **más tiempo** libre **que** mis amigos, **que** la gente en general. Estoy **menos** estresada.

C. > Señora Dinerón, ¿ha ganado usted **tanto dinero como** sus amigas?

< Sí, claro. Somos **tan buenas amigas como** siempre. Por eso hemos dividido el premio en partes iguales.

Así se construye

Comparativos de igualdad	Comparativo de inferioridad	Comparativo de superioridad
I. *tan* + adj. / adv. + *como* …	**I.** *Menos* + sust. / adj. / adv. + *que*	**I.** *Más* + sust. + / adj. / adv. + *que*
2. *tanto como*		
3. *tanto /-a /-os /-as* + sust. + *como* …	**2.** *Menos que*	**2.** *Más que*

Usamos las construcciones comparativas para establecer una relación de igualdad, inferioridad o superioridad entre dos o más elementos.

● **Comparativos de igualdad**

– Verbo **tan** + adjetivo / adverbio + **como** + sustantivo / pronombre / verbo / adverbio.
*Ellos trabajan **tan bien como** <u>sus jefes</u>.*
*Somos **tan altas como** <u>vosotras</u>.*
*No es **tan listo como** <u>parece</u>.*
*Es **tan rápido como** <u>siempre</u>.*

– Verbo **tanto /-a /-os /-as** + (sustantivo) + **como** + sustantivo / pronombre / adverbio.
*¿Ha dormido usted **tantas horas como** ellos?*
*Tengo **tantos sueños como** antes.*

– Verbo + **tanto como** + sustantivo / pronombre / verbo / adverbio.
*Trabaja **tanto como** mis hijas.*
*Este coche corre **tanto como** el tuyo.*
*No trabaja **tanto como** dice.*
*Come **tanto como** siempre.*

● **Comparativos de inferioridad**

– Verbo + **menos** + (sustantivo / adjetivo / adverbio) + **que** + sustantivo / pronombre / adverbio.
*Conduce **menos rápido que** tú.*
*Ahora todo está **menos claro que** antes.*
*Trabajas **menos que** nadie.*
*Como **menos que** antes.*

● **Comparativos de superioridad**

– Verbo + **más** + (sustantivo / adjetivo / adverbio) + **que** + sustantivo / pronombre / adverbio.
*Antes leía **más libros que** ahora.*
*Mi coche es **más** viejo **que** el suyo.*
*Hoy me he levantado **más** temprano **que** ayer.*
*Lucas piensa más que Einstein. / Yo duermo **más que** tú.*
*Ahora se vive **más que** antes.*

– **Mucho /-a /-os /-as** pueden ir delante de **más / menos** para enfatizar la cantidad expresada.
*Te veo **mucho más / menos** que antes.*
*Usted toma **muchos más / muchos menos** cafés que yo al día.*

– La segunda parte de la comparación puede no decirse si resulta evidente.
*Después de jubilarme, viajo y leo **más que** antes y me estreso **mucho menos**.*

EJERCICIOS

Practique (cómo se construye)

1 **Transforme según el ejemplo.**

Ej.: *El libro, 16.50 € / El CD, 18 € (costar)* → *El libro cuesta menos que el CD.*

1. En el pueblo de mi marido, 50 personas / En mi pueblo, 200 personas (vivir).

....

2. Mi casa, 120 metros cuadrados / Tu casa, 100 metros cuadrados (tener).

....

3. Septiembre, 30 / Abril, 30 días (tener).

....

4. En esta clase, 15 chicas / En esta clase 15 chicos, (haber).

....

5. Yo, mucho / Tú, también (trabajar).

....

2 **Complete con *tan, tanto /-a /-os / -as.***

Ej.: *No es **tan** fácil como parece.*

1. Ese libro es .... interesante como dice la gente
2. En este bar no hay .... gente como en el Gran Vía.
3. Fran, ya tienes .... libros como tu madre.
4. Tienes .... plantas como yo.
5. Ese chico come .... como su padre y no está .... gordo como él.

Practique (cómo se usa)

3 **Complete con el comparativo adecuado. Añada *mucho /-os /-as* donde sea posible.**

Ej.: > *¿Ese libro es **tan** interesante **como** dice la gente?*
    < *Yo creo que es **mucho más** interesante **que** su último libro.*

1. > En este bar no hay .... gente como en el Gran Vía.

   < No, no creo. Aquí hay .... gente .... allí, siempre está lleno.

2. > Fran, ya tienes .... libros como tu madre.

   < No, no, ella tiene .... que yo, lee mucho.

3. > Tienes .... plantas como yo.

   < ¡Qué va! Yo tengo .... que tú porque se han secado casi todas.

4. > Ese chico come .... como su padre.

   < Sí, pero está .... gordo que él.

4 **Complete con el comparativo correspondiente. Escuche y compruebe.**

(2: 48)

1. > ¿Pones la mesa?

< Vale... Oye, en este cajón hay .... cuchillos .... tenedores. ¿Qué hago?

> Pues comemos con menos cuchillos. ¿Qué se va a hacer?

2. > ¿Puedes mirar si hay .... tazas .... platos para servir el café?

< No, hay .... platos .... tazas.

> Bueno, pues usamos las tazas sin platos.

3. > ¡Siempre igual! Tenemos .... sábanas .... fundas de almohada.

< ¿Y qué pasa? Las fundas de almohada pueden ser de otro color, ¿no?

4. > En esta casa ponen la calefacción .... alta .... en la mía.

< Sí, claro, es que aquí viven .... personas mayores .... en la tuya.

5. > ¡Qué curioso! En tu frigorífico hay .... yogures .... en el mío.

< ¿Sí? ¿A ver? ¡24! ¡Qué casualidad!

5 **Compare la lista de don José con la de don Alfonso. Escuche y compruebe.**

(2: 49)

La lista de don José	La lista de don Alfonso
- Quinientos discos	- Treinta discos
- Cincuenta libros	- Mil libros
- Tres álbumes de fotos antiguas	- Diez álbumes de fotos antiguas
- *Muchas arrugas*	- *Muchas arrugas*
- Duerme cinco horas	- Duerme cinco horas

Don José tiene **tantas** *arrugas* **como** *don Alfonso.* ....

....

....

....

M I S   C O N C L U S I O N E S

6 **Complete estas frases.**

a. Para comparar adjetivos en grado de igualdad usamos ....

b. Detrás de *tantas* tenemos que poner ....

7 **Marque verdadero (V) o falso (F).**

a. *Tan* es invariable: ......

b. Todos los comparativos llevan *que:* ......

c. *Mucho* solamente puede acompañar a *más:* ......

32 Hace tres meses que estudio español

ALGUNAS FUNCIONES DE QUE

(2: 50)

¡FÍJESE!

1. Tú ya hablas muy bien.

2. Yo también **creo que hablas** muy bien.

3. Pues solo **hace un año que** estudio español, pero la gramática **que** hemos usado en clase es muy buena.

Así se construye

- **Que relativo**

  - Sustantivo + **que** + verbo (frase).

    El libro es muy bueno. Lo usamos en clase. → **El libro que usamos** *en clase es muy bueno.*

- **Que conjunción**

  - Tras verbos de opinión (entre otros): Creo / Opino / Pienso + **que** + verbo (frase).

    Creo que *el libro es muy bueno.*

  - En expresiones de tiempo:
    - Desde + **que** + verbo (frase).

      Desde que estoy *en esta clase aprendo mucho.*

    - Hace (siempre en singular) + cantidad de tiempo + **que** + verbo (frase).

      Hace un año que *no veo a mi hermano.*

    - ¿Cuánto (tiempo) + hace + **que** + verbo (frase)?

      Pareces español, **¿cuánto tiempo hace que vives** *aquí?*

Así se usa

- **Que relativo**

  – Sirve para especificar o concretar el significado de los sustantivos por medio de una frase. Es la misma función que cumplen los adjetivos (→ Unidad 3), o la construcción *de + sustantivo*.
  El alumno brasileño. / El alumno de Brasil. / El alumno que es brasileño.

- **Que conjunción**

  – La conjunción *que* va detrás de los verbos –aquí nos fijamos en los de opinión– para poder introducir otro verbo conjugado.
  Creo que *el libro* **es** *muy bueno.*
  Opinamos que *la situación* **va** *a mejorar pronto.*

  – Puede formar locuciones para expresar tiempo.
  - *Desde que + frase* se usa para referirse al principio de un recorrido temporal (→ Unidad 13). Hace referencia al principio de la acción, que llega hasta hoy.
    Desde que no fumo, *me siento muy bien.*
    Desde que vives en este barrio, *te veo más feliz.*
  - *Hace + cantidad de tiempo + que + frase* se usa para referirse a la cantidad de tiempo en que se está realizando o se ha realizado una acción.
    Hace tres meses que *se fueron de aquí.*
    Hace mucho tiempo que *no veo a Luis.*
    Hace una semana que *empecé a trabajar.*

  En la pregunta podemos usar o no la palabra 'tiempo'. En la respuesta siempre se da una cantidad de tiempo y no una fecha.
  > **¿Cuánto tiempo hace que** *tienes novia?*
  < *Un año.*

  > **¿Cuánto hace** *que os casasteis?*
  < *Poco tiempo, más o menos un año.*

EJERCICIOS

Practique cómo se construye

  1 **Forme una sola frase según el modelo. Escuche y compruebe.**

(2: 51)   Ej.: El disco es muy bueno. Lo escuchamos en casa. → *El disco que escuchamos en casa es muy bueno.*

1. El curso es de español. Lo hago por las noches.

....

2. Los alumnos sacan buenas notas. Estudian mucho.

....

3. El teléfono es el de mis vecinos. Suena todo el tiempo.

....

4. Las camisetas están pintadas a mano. Las compré en Lima.

....

5. El CD tiene muchas fotos del viaje a Perú. Te lo envié ayer.

....

2 **Complete con un verbo (creo / opino), con hace o desde.**

Ej.: **Creo / Opino** que no habrá problemas.
   Sonia me ha llamado **hace** media hora.

1. .... dos años que no fumo.
2. .... que voy a aprobar con buena nota.
3. .... que la situación ha empeorado.
4. .... que te cambiaste de piso casi no nos vemos.
5. .... mucho tiempo que no llamo a mi tía.
6. Va al gimnasio todos los días .... que tuvo un infarto.
7. Me voy porque .... una hora que estoy esperando.
8. .... que nos ha mentido en su declaración.
9. .... que hay que ayudarlos a salir adelante.
10. .... poco tiempo que mi abuelo aprendió a leer.

Practique (cómo se usa)

3 **Complete los diálogos con hace que o desde que. Escuche y compruebe.**

(2: 52)

1. > No tengo noticias de Luca .... volvió a Italia.
   < ¿No? Pues yo tampoco.

2. > .... te conozco, dices que vas a sacarte el carné de conducir.
   < Ya, pero me da mucho miedo el coche.

3. > Mira, no podemos salir. Está lloviendo muchísimo.
   < ¡Qué aburrimiento! Ya .... tres fines de semana .... no salimos.

4. > Estoy sin móvil y sin conexión a internet.
   < ¿Cuánto tiempo .... está «incomunicado»?

5. > Todo va de maravilla .... llegó la nueva secretaria.
   < Ya veo .... ahora ya no olvidas tus citas y llegas puntual a las reuniones.

4 Complete con la información que extraiga de la primera frase y use los recursos que ha aprendido. Fíjese en la palabra entre paréntesis para responder.

Ej.: *Soy hija única.*

Consecuencia: ***Así que*** *no tienes hermanos* (hermanas).

1. Estamos en 2007. Lía llegó a esta ciudad en 2001.

   Tiempo: ....

2. Ahora Luis usa crema solar cuando va a la playa. No se quema.

   Tiempo: ....

3. En esta ciudad hace demasiado calor y hay demasiado tráfico.

   Opinión: .... (incómoda)

4. ¡Qué alegría! Mañana es uno de agosto.

   Opinión: .... (vacaciones estupendas)

5. Dejé de comer grasas y me siento muy bien.

   Tiempo: ....

6. Me encantan las redes sociales. Nos permiten comunicarnos con el mundo entero.

   Opinión: .... (útiles)

M I S   C O N C L U S I O N E S

5 **Elija la opción correcta.**

1. a. *Que* relativo concuerda con el sustantivo.

   b. *Que* relativo es invariable.

   c. Con 'hace ... que' expresamos el tiempo que ha transcurrido.

   d. Con 'hace ... que' expresamos el comienzo de un trayecto temporal.

2. En *La chica que te presenté ayer:*

   e. *que* es un relativo.

   f. *que* es una conjunción.

3. En *Pienso que tienes razón:*

   g. *que* es un relativo.

   h. *que* es una conjunción.

TEST AUTOEVALUACIÓN

1. > ¿Dónde .... los servicios, por favor?
   < En la segunda planta.
   a. está   b. hay   c. están

2. > ¿Hay .... boca de metro por aquí?
   < Sí, al final de esta calle.
   a. Ø   b. una   c. la

3. > ¿Qué les pasa a Astrid y a Eli?
   < Que están .... por el examen.
   a. preocupado   b. preocupada   c. preocupadas

4. > ¿Qué día .... el Museo del Prado?
   < El lunes.
   a. cerramos   b. cierra   c. cierro

5. > ¿Qué ....? ¿Café para todos?
   < No, no te preocupes, nosotros .... directamente al camarero.
   a. pido ... pedís   b. pido ... pedimos   c. pides ... pedimos

6. > Che, vos, ¿cómo ....?
   < Bien, como siempre.
   a. andas   b. andás   c. andáis

7. > Ayer conocí al novio de Rosa, ¡qué majo es!
   < Pues yo todavía no lo ....
   a. conozco   b. conocía   c. he conocido

8. > ¿Cuánto .... este pantalón?
   < 20 euros.
   a. cuesto   b. cuesta   c. cuestan

9. > ¿Les .... a ustedes el cine español?
   < Sí, nos gusta mucho, sobre todo algunos directores.
   a. gustas   b. gustan   c. gusta

10. > Voy a estar en Madrid solo dos días, ¿............ museo me recomiendas?
    < El Prado, El Thyssen, El Reina Sofía...
    a. cuál   b. qué   c. cuánto

11. > ¿ .... es tu restaurante preferido?
    < No sé... No puedo decir uno solo.
    a. qué   b. cuál   c. cuáles

12. > ¿Qué te pasa? ¿No .... sientes bien? Tienes mala cara.
    < Es que me duele el estómago.
    a. te   b. se   c. le

13. > Javi viene .... tren al final, porque no ha encontrado billete de avión.
    < ¿Y .... qué hora llega?
    a. en ... a   b. con ... Ø   c. por ... a

14. > Me duelen .... pies.
    < ¿Y por qué no te sientas?
    a. mi   b. los   c. mis

15. > Tomad, esta es .... mochila.
    < ¡Es verdad! No sabía dónde estaba.
    a. vuestra   b. el vuestro   c. de vosotros

16. > ¿A vos .... interesa el arte prehistórico?
    < Nada, en absoluto.
    a. te   b. os   c. les

17. > Este verano vamos .... ir a Los Pirineos.
    < me encanta la idea.
    a. Ø   b. a   c. al

18. > ¿Dónde está José? ¡Ya son las 11 de la mañana!
    < ....
    a. está duchando   b. está duchándose   c. está duchado

19. > Señora, ¿dónde pongo estas cajas?
    < .... (usted) ahí, por favor.
    a. póngalas   b. ponlas   c. las ponga

20. > (vos) .... más cuidado o vas a romper las copas.
    < Vale, vale, tranquila.
    a. tené   b. tenés   c. ten

21. > Ayer estuve en un espectáculo de flamenco y me gustó mucho.
    < ¿Y quién ...., un hombre joven o uno mayor?
    a. canto   b. cantaron   c. cantó

22. > Han dicho en las noticias que dentro de tres días .... calor otra vez.
    < ¿Otra vez? ¡Pero si estamos en noviembre!
    a. hará   b. haré   c. harán

23. > La familia .... para hablar de la herencia.
    < Sí, claro, es normal.
    a. se ha reunido   b. se han reunido   c. ha reunido

24. > ¡Anda! ¡Qué foto! ¡Si eres tú con el pelo largo!
    < Sí, cuando .... 18 años.
    a. era   b. tenías   c. tenía

25. > ¿Les has dicho a Rosa y a Lola que te casas?
    < No, todavía no .... he dicho.
    a. se lo   b. se la   c. te lo

26. > ¡Mira cómo se ríe! Me encanta verla reír.
    < Sí, tiene .... cosquillas como su hermano.
    a. tanta   b. tantas   c. tanto

Soluciones

SOLUCIONES

UNIDAD 1

1.

Masculino		Femenino	
profesor	profesores	profesora	profesoras
estudiante	estudiantes	estudiante	estudiantes
periodista	periodistas	periodista	periodistas
actor	actores	actriz	actrices
padre	padres	madre	madres

2. 1. **el** mapa. 2. **la** mesa. 3. **la** ventana. 4. **el** autobús. 5. **el** brazo. 6. **la** madre. 7. **la** clase. 8. **el** lápiz. 9. **el** coche. 10. **las** gafas. 11. **los** yernos. 12. **las** sillas. 13. **la** radio. 14. **la** moto. 15. **los** días. 16. **las** nueras. 17. **la** puerta. 18. **la** televisión. 19. **la** mano. 20. **el** problema.

3. 1. papel: papeles. 2. vestido: vestidos. 3. bolso: bolsos. 4. lunes: lunes. 5. pantalón: pantalones. 6. gafa o gafas: gafas. 7. camisón: camisones. 8. sábado: sábados. 9. tijera o tijeras: tijeras. 10. camisa: camisas. 11. dentista: dentistas. 12. país: países.

4.

		masculino	femenino
singular		vaca	tiza
		sofá	nariz
		viernes	leche
		tema	cama
		vino	foto
		idioma	gallina
		bolígrafo	
		mapa	
		marido	
plural		sillones	canciones
		coches	cervezas
		viernes	narices
		problemas	manos

5. 1. **un** lápiz; **una** carpeta; **unos** bolígrafos; **un** cuaderno.
2. **un** bañador; **una** toalla; **unas** gafas de sol.

3. **un** pantalón; **una** falda; **unas** camisetas; **unos** zapatos.

6. un cuaderno / una mochila / unos libros una falda / una camisa / unos zapatos de tacón

7. a. falso. b. verdadero. c. falso. d. verdadero.

UNIDAD 2

1. 1. vosotros/-as. 2. ellos/-as – ustedes. 3. nosotros/-as. 4. tú. 5. él / ella –usted. 6. vos.

2. 1. eres – soy. 2. son – son. 3. sois – somos. 4. es – soy. 5. es – es. 6. sos – soy.

3. 1. (Yo) Soy Victoria y soy enfermera / bibliotecaria (Yo) Soy Arturo y soy enfermero / bibliotecario / abogado 2. (Tú) eres Victoria y eres enfermera / bibliotecaria. (Tú) eres Arturo y eres enfermero / bibliotecario / abogado. 3. Él es Francisco y es enfermero / bibliotecario / abogado. 4. Nosotras somos Ángela y Ada y somos informáticas /periodistas/ electricistas. 5. Vosotros sois periodistas / electricistas. 6. Ellas son informáticas / periodistas / electricistas.

4. 1. eres – soy. 2. es – soy. 3. somos. 4. es – es. 5. son – somos.

5. 1. Eres Carmen – soy. 2. Es usted el piloto de Iberia – soy. 3. Son ustedes profesores – somos. 4. Sois las nuevas estudiantes de esta clase – es – soy.

6. 1. Fernando es de Salamanca y es biólogo. 2. Héctor es de Málaga y es arquitecto. 3. Ada es de Barcelona y es ingeniera. 4. Ángela es de Buenos Aires y es veterinaria. 5. Francisco es de Sevilla y es traductor.

■ 1. Soy Fernando, soy de Salamanca y soy biólogo. 2. Soy Héctor, soy de Málaga y soy arquitecto. 3. Soy Ada, soy de Barcelona y soy ingeniera. 4. Soy Ángela, soy de Buenos Aires y soy veterinaria. 5. Soy Francisco, soy de Sevilla y soy traductor.

7. 1. Es una agenda. 2. Es un libro. 3. Es un cuaderno. 4. Es un móvil. 5. Es una goma de borrar. 6. Es una mesa. 7. Es una

pizarra. 8. Es un lápiz. 9. Es la mochila de María. 10. Es el diccionario de Ángela. 11. Es el reloj de Nico. 12. Es el monedero de Rita. 13. Es la cartera de Sebastián. 14. Es el paraguas de Juan.

8. a) Es un libro / Es el libro de María. b) Es la camisa de Pedro / Es una camisa. c) Es un gato / Es el gato de María. d) Es un tren / Es el tren de Ana.

9. a. verdadero. b. verdadero. c. falso. d. verdadero.

UNIDAD 3

1.

	Femenino		Masculino
comilón	**comilona**	belga	**belga**
feliz	**feliz**	pequeña	**pequeño**
rico	**rica**	interesante	**interesante**
israelí	**israelí**	japonesa	**japonés**

2.

	Singular		Plural
marroquíes	**marroquí**	joven	**jóvenes**
fáciles	**fácil**	españolì	**españoles**
guapas	**guapa**	ecuatoriano	**ecuatorianos**
capaces	**capaz**	trabajadora	**trabajadoras**

3. China: chino (china). Chile: chileno (chilena). Ecuador: ecuatoriano (ecuatoriana). Israel: israelí. Marruecos: marroquí. Turquía: turco (turca). Suecia: sueco (sueca). Rusia: ruso (rusa).

4. 1. Un libro viejo / grande.
2. Unos ejercicios fáciles.
3. Un día importante / aburrido / alegre.
4. Una habitación alegre / grande.
5. Unos zapatos cómodos.
6. Una película alegre / larga / importante.
7. Una ventana grande.
8. Una calle importante / alegre / larga / grande.

9. Unas vacaciones cortas / bonitas.
10. Un ordenador viejo / grande / nuevo.
11. Un mensaje importante / aburrido / viejo / alegre / nuevo.
12. Unas gafas bonitas.
13. Una ensalada grande.
14. Un móvil grande / viejo / nuevo.

5. grande. 2. útil. 3. cómodas. 4. austriaco. 5. importantes. 6. andaluces.

6. El Salvador: salvadoreño. Nicaragua: nicaragüense. Ecuador: ecuatoriano. Chile: chilena. Argentina: argentina. Perú: peruano. Canadá: canadiense. Cuba: cubana.

7. Mi ciudad es *grande y ruidosa II* es tranquila, pequeña y limpia.
Mi novio es amable, chileno / israelí / belga, alegre, inteligente, divertido…
Mi novia es belga / israelí, amable, alegre, inteligente, trabajadora, sincera…

8. Mi perro /-a, es blanco /-a /, divertido /-a, nervioso /-a, grande y joven. Mi habitación es bonita, cómoda, azul, nueva y grande.

9. a. -ces. b. -a, -í, -e. c. definir o caracterizar personas o cosas.

10. a. falso. b. verdadero. c. verdadero.

UNIDAD 4

1. 1. está. 2. están. 3. hay. 4. está. 5. hay.

2. de; 2. Ø; 3. de; 4. del; 5. Ø.

3. 1. la. 2. un. 3. los. 4. el. 5. unos / Ø.

4. 1. b; 2. g; 3. h; 4. f; 5. d; 6. a; 7. c; 8. i; 9. e; 10. j.

5. 1. hay. 2 . están. 3. hay. 4. hay. 5. está.

6. **Posible respuesta**
En el salón hay una lámpara al lado del sofá. Un cuadro detrás de la lámpara. Hay un libro encima de la mesa. Hay un teléfono entre el sillón y el sofá. Hay libros en las estanterías…

7. a. verdadero. b. falso. c. verdadero. d. falso.
e. falso.

UNIDAD 5

1. 1. Yo estoy contenta, lleno, triste, bien, mal, cansado.
2. Usted está contenta, lleno, triste, dormido, bien, mal, cansado.
3. Tú estás contenta, lleno, triste, dormido, bien, mal, cansado.
4. La tienda está vacía, bien, mal.
5. Vosotros estáis preocupados, bien, mal.
6. Ellos están preocupados, bien, mal.
7. Ustedes, señoras, están preocupadas, hartas, bien, mal.
8. El cine está lleno, bien, mal.
9. Ella está contenta, triste, bien, mal.
10. Vos estás contenta, lleno, triste, dormido, bien, mal, cansado.
11. Las ventanas están rotas, bien, mal.

2. 1. está – muerta. 2. están preocupados.
3. está vacía. 4. está contenta. 5. está lleno. 6. estás seguro. 7. estás triste.
8. estamos hartos. 9. están dormidos.
10. estáis cansados.

3. 1. El jarrón está roto. 2. Los vasos están vacíos. 3. La discoteca está llena. 4. Las chicas están muy contentas. 5. Jorge y Luis están (muy) enfadados. 6. Los niños están dormidos.

4. 1. bien – un poco. 2. bien – muy. 3. mal – bastante. 4. bien – un poco. 5. muy – bien.

5. Querido Miguel:

Te escribo porque estoy **muy / bastante preocupada**; no sé nada de ti. ¿Qué te pasa? ¿Estás **bien**?

Mi hermano y yo estamos **muy / bastante contentos**. ¡Por fin tenemos la casa en la playa! Es preciosa. Cerca de la casa hay un restaurante nuevo muy bueno. Yo como allí todos los días: hoy, sopa de marisco, empanada gallega, paella y tarta de chocolate. ¡Uf! **Estoy llena**. Ya no como nada hasta mañana.

El trabajo va muy bien, pero yo **estoy** muy **cansada, agotada**, porque trabajo nueve horas en el despacho. Cuando salgo, la oficina **está** completamente **vacía**.
¿Por qué no vienes este fin de semana? El tiempo es bueno y la playa **está llena** de gente. ¡Y comemos en el restaurante nuevo! Un beso,

6. a. falso. b. verdadero. c. verdadero.

7. b. ¡Muy interesante! y d. Esta clase siempre está vacía.

UNIDAD 6

1.

preguntar	pregunto	preguntas	preguntás	pregunta
estudiar	estudio	estudias	estudiás	estudia
responder	responde	respondes	respondés	responde
leer	leo	lees	leés	lee
vivir	vivo	vives	vivís	vive
abrir	abro	abres	abrís	abre

preguntar	preguntamos	preguntáis	preguntan
estudiar	estudiamos	estudiáis	estudian
responder	respondemos	respondéis	responden
leer	leemos	leéis	leen
vivir	vivimos	vivís	viven
abrir	abrimos	abrís	abren

2. 1. cantamos. 2. corre. 3. suben – funciona.
4. corre. 5. trabaja – necesita. 6. habla – comprendo.
-ar: cantar, funcionar, trabajar, necesitar, hablar; **-er:** correr, comprender; **-ir:** subir.

3. nosotros /-as. 2. yo. 3. tú. 4. ellos /-as / ustedes. 5. vosotros /-as. 6. él / ella / usted.

4. 1. La energía solar no contamina. 2. Leo libros de psicología. 3. Estudian español dos días a la semana. 4. El Amazonas cruza varios países de América del Sur.
5. Compro el pan en el mercado.

5.

ANTONIO 70 AÑOS, jubilado	VICTORIA 35 AÑOS, empresaria	SAMUEL 20 AÑOS, estudiante
Yo veo dibujos animados con mis nietos Yo hablo por teléfono con mis hijos	Yo como cerca del trabajo Yo hablo por teléfono con mis hijos Yo viajo por trabajo	Yo estudio en la universidad Yo escribo correos electrónicos a los compañeros de clase

Antonio ve dibujos animados y habla por teléfono.

Victoria come cerca del trabajo, habla por teléfono y viaja por trabajo.

Samuel estudia en la universidad y escribe correos electrónicos a los compañeros de clase.

6. 1. hablás. 2. viven – vive – vivo. 3. cantan – viajan. 4. lees. 5. trabajan.

7. escribo – vivo – viven – trabajo – estudio – comparto – estudia – practicamos – habla – comprendo – contesto – hablo – contesta – leo – escribo – paseo – corro – espero.

8. 1. Termina en -o. 2. Terminan en -áis; -éis; -ís. 3. De *ustedes*.

UNIDAD 7

1. a. 5: e > ie; b. 4: o > ue; c. 1: e > ie; d. 8: o > ue; e. 2: e > i; f. 7: u > ue; g. 3: o > ue; h. 6: e > i.

2.

	EMPEZAR	QUERER	SENTIR
yo	empiezo	quiero	siento
tú	empiezas	quieres	sientes
vos	empezás	querés	sentís
él / ella / usted	empieza	quiere	siente
nosotros /-as	empezamos	queremos	sentimos
vosotros /-as	empezáis	queréis	sentís
ellos /ellas / ustedes	empiezan	quieren	sienten

	CONTAR	PODER	REPETIR
yo	cuento	puedo	repito
tú	cuentas	puedes	repites
vos	contás	podés	repetís
él / ella / usted	cuenta	puede	repite
nosotros /-as	contamos	podemos	repetimos
vosotros /-as	contáis	podéis	repetís
ellos /ellas / ustedes	cuentan	pueden	repiten

3. 1. empiezan – puedo. 2. dormís – duermen. 3. cuenta. 4. pido – pruebas – repites. 5. vuelves. 6. prefieres. 7. cierran. 8. encontramos – perdéis. 9. juega. 10. puedo.

4. 2. empiezan. 3. duermes. 4. juego. 5. pierdo. 6. recordás. 7. encuentro. 8. quiero. 9. cuesta. 10. pide.

5. 1: c. 2: a. 3: c. 4: b. 5: a. 6: b. 7: a.

6. 1. Ir a clases de chino: Va a clases de chino de miércoles a viernes.

2. Jugar al tenis con Yolanda: Juega al tenis con Yolanda una vez al mes.
3. Dormir en Salamanca: Duerme en Salamanca los sábados.
4. Volver a Madrid desde Salamanca: Vuelve a Madrid el domingo.
5. Trabajar en la biblioteca: Trabaja en la biblioteca los días laborables.
6. Visitar a los ancianos de los hospitales: A menudo visita a los ancianos de los hospitales.
7. Trabajar de 9:00 a 5:00: Algunos lunes trabaja de 9:00 a 5:00.
8. Cerrar él la biblioteca: El miércoles 17 cierra él la biblioteca.

7. duermo, empiezan / comienzan, pensáis, prefieren, entienden, empiezan / comienzan, cierro, juego, pierdo, puedo, pides, cuentan.

■ Los fines de semana, normalmente: Vuelve a las dos de la mañana.
Los domingos: Duerme solo cuatro horas.

Por las mañanas: Empieza las clases a las 8:30.
Por la tarde: Estudia.
Nunca: Juega a videojuegos.
A veces: Escucha música.
Siempre: Quiere ir de vacaciones a Ámsterdam.

8. entiendo – repiten – entiendo – suena – empiezan – prefiero – cierran.

9. a. verdadero. b. falso. c. verdadero.

10. a. pensamos. b. juego. c. siente.

UNIDAD 8

1. 1. salir. 2. tener. 3. coger. 4. venir. 5. saber. 6. ir. 7. traducir. 8. dar. 9. hacer. 10. ser.

2. **REGULARES:** oímos, damos, ponéis, sales, sabemos, torcemos.
IRREGULARES: estoy, pongo, sos, conocés, sé, traduzco, construyen, traigo, eres, vengo, tuercen, oigo, conozco, traducís, doy, salgo, construís, traéis, estás.

3.

PONER	TORCER	CONDUCIR	SEGUIR	HUIR
pongo	tuerzo	conduzco	sigo	huyo
pones	tuerces	conduces	sigues	huyes
ponés	torcés	conducís	seguís	huis
pone	tuerce	conduce	sigue	huye
ponemos	torcemos	conducimos	seguimos	huimos
ponéis	torcéis	conducís	seguís	huis
ponen	tuercen	conducen	siguen	huyen

4. 1. conozco. 2. tuerce. 3. pongo. 4. hago. 5. doy. 6. veo. 7. hacéis. 8. hacés. 9. conduzco. 10. conoce.

5. 1. introduces – aprietas – sale. 2. sigue – toma – tuerce. 3. eliges – quitas – pones – bates – echas – remueves.

6. 1. a) Instrucciones. 2. b) Acciones habituales. 3. e) Futuro. 4. c) Hechos o realidades generales e intemporales. 5. d) Situación, acción o información en el presente. 6. b) Acciones habituales.

7. a. falso. b. verdadero. c. verdadero. d. falso. e. verdadero. f. falso. g. verdadero.

8. a. En la primera persona -go: hago / pongo. b. No. c. Hablar del futuro y dar instrucciones.

UNIDAD 9

1. 1. veinticinco. 2. ciento quince. 3. *cincuenta*. 4. un. 5. treinta. 6. cuarenta y dos. 7. treinta y un. 8. quince. 9. diecisiete. 10. noventa y ocho.

2. 1. cero nueve uno, cuatro cinco cinco, cinco ocho, nueve dos. 2. treinta. 3. cien. 4. diez – catorce quince. 5. seis, tres, un. 6. mil cincuenta. 7. setenta – cuatrocientos.

3. 1. dieciocho quince. 2. veintidós treinta. 3. trece cuarenta y cinco. 4. diecisiete cincuenta.

4. 1. dos mil. 2. mil **novecientos** cincuenta y seis. 3. **novecientos nueve** millones. 4. dos millones **quinientos** mil. 5. cuatro **mil trescientos veintinueve.**

5. 1 – d. 2 – f. 3 – e. 4 – b. 5 – c. 6 – a. 7 – g. a: 12; b: 450 000 000; c: 21; d: 5; e: 20 005; f: 616 817 261; g. 23 140 607.

6. A. cuarenta y dos / treinta y ocho. B. cuatro / tres // tres / cuatro. C. diez / una o dos. D. dos.

7. 1: 28 (veintiocho) – 4 (cuatro) – 30 (treinta) – 31 (treinta y uno). 2: 5 (cinco) / 19 (diecinueve). 3: 19 (diecinueve) / 5 (cinco). 4: 8 (ocho). 5: 25 (veinticinco) – 31 (treinta y un días).

8. 1. veintiún mil ciento noventa y seis. 2. ochocientos veintiocho. 3. cuarenta y cinco mil setecientos. 4. treinta y cinco millones. 5. seis mil ochocientos. 6. ciento diez.

9. a. falso. b. falso. c. verdadero. d. verdadero.

UNIDAD 10

1. 1. gusta. 2. gusta. 3. gustan. 4. gustan. 5. gusta. 6. gusta.

2. 1. nos. 2. les. 3. te. 4. les. 5. me. 6. te.

3. - A mí me encanta / gusta / interesa la música / el arte moderno.
- A mí me apetece dar un paseo / aprender a cocinar.
- A mí me molestan / me gustan los turistas / las ciudades grandes / las personas maleducadas.
- A él le encanta / gusta / interesa la música / el arte moderno.
- A él le apetece dar un paseo / aprender a cocinar.
- A él le molestan / le gustan los turistas / las ciudades grandes / las personas maleducadas.
- A mis hermanas les encanta / gusta / interesa la música / el arte moderno.
- A mis hermanas les apetece dar un paseo / aprender a cocinar
- A mis hermanas les molestan / les gustan los turistas / las ciudades grandes / las personas maleducadas.

4. 1. A Pepe le duelen los pies. 2. Al abuelo le duele la espalda. 3. A Lorenzo le molestan los mosquitos. 4. A Jessica le interesan las noticias. 5. (A ti) te gusta la música.
6. (A mí) me encanta bailar.

5. A. les encanta – nos gusta – nos gustan.
B. me molestan – me molestan – me encanta – os molesta – me duele – me molestan.

6. a) ¿Y no **te molestan** los ruidos?
b) Sí, a ella **le gusta** mucho ese grupo mexicano.
c) > Vamos al cine, ¿te **apetece** venir?
< Sí, me **apetece** mucho…
d) ○ Ya lo sé, pero no me **apetece** nada ir.
• Pues a mí sí, **me encantan** las bodas.

7. 1. A mí tampoco. 2. A nosotros /-as no.
3. A mí también. 4. A mí sí.
5. A mí no.

8. **Posible respuesta**
Yo creo que a Anzo le gustan los tomates, le gusta la fruta, le gusta bailar, le gusta el tenis.
Yo creo que a Martina le gusta leer, le gusta la comida original, le gusta la cocina griega, le gustan los libros de cocina, le gusta la carne.
A los dos les gusta viajar en globo, les gusta hablar con amigos.

9. 1. verdadero. 2. falso. 3. falso. 4. falso.

10. a. Me gusta trabajar; b. Les interesa el cine; c. Me encantan las flores. / A mí también; d. No me gusta el café con leche. / A mí tampoco.

UNIDAD 11

1. 1. Qué. 2. Cuántos. 3. Cuántas. 4. Cuánto. 5. Cuánto. 6. Cuánta.

2. 1. Quién. 2. Quiénes. 3. Quién. 4. Quiénes. 5. Quién. 6. Quién.

3. 1. Cómo. 2. Cuándo. 3. Qué. 4. Dónde. 5. Cuántos. 6. Cómo. 7. Cuánto. 8. Quién. 9. Quiénes. 10. Cuánto.

4. 1. Cuál. 2. Qué. 3. Qué. 4. Cuál. 5. Cuál. 6. Qué. 7. Cuál. 8. Qué. 9. Qué – Cuál. 10. Cuál.

5. 1. dónde. 2. con quién. 3. En qué. 4. Con qué. 5. De quién.

6. 1. *Cómo: fritas o asadas.* 2. Cuándo: el miércoles. 3. Cuántas: cinco. 4. dónde: en la biblioteca / cómo: bien. 5. Quién: Ángela. 6. Dónde: en la biblioteca / cómo: bien. 7. Qué: un bolígrafo. 8. Cuál: el verde.

7. **Posible respuesta**
1. ¿Cuál es tu correo electrónico?
2. ¿Cómo es Pedro / tu profesor?
3. ¿Qué vamos a comer? / ¿Qué queréis / quieren para comer? 4. ¿Cuánto cuesta?
5. ¿Qué lees? 6. ¿Dónde está tu hijo / tu mujer...?

8. a. verdadero. b. falso. c. falso. d. verdadero.

9. e. ¿**Cómo** te llamas? / ¿**Dónde** vives?

UNIDAD 12

1.

PEINARSE	ACOSTARSE	SENTIRSE	SENTARSE
Me peino	**Me acuesto**	Me siento	**Me siento**
Te peinas	Te acuestas	**Te sientes**	**Te sientas**
Te peinás	**Te acostás**	**Te sentís**	**Te sentás**
Se peina	Se acuesta	**Se siente**	**Se sienta**
Nos peinamos	**Nos acostamos**	**Nos sentimos**	Nos sentamos
Os peináis	**Os acostáis**	**Os sentís**	**Os sentáis**
Se peinan	**Se acuestan**	**Se sienten**	**Se sientan**

2. 1. me lavo los dientes. 2. me visto yo. 4. Me pinto antes de salir de casa. 5. me despierto yo. 6. los mayores se acuestan solos. 8. me he levantado hecho polvo.

3. 1. te. 2. Me. 3. se. 4. Se. 5. Os – nos. 6. Te. 7. Os – nos. 8. Te.

4. 1. se sienta. 2. se bañan. 3. nos acostamos. 4. te afeitas. 5. se maquilla. 6. se lava. 7. me siento. 8. se llaman.

5. a. Sonia: me ducho. Inés: nos bañamos – nos duchamos. José: se lava.
   b. Luis: se maquillan / se peinan / se pintan – se visten / se arreglan. Irene: me pinto. Johan: me afeito – me visto.
   c. se acuestan – se bañan / se duchan – se levantan.

6. 1. nos despertamos. 2. te afeitas. 3. se sienten – se sienten. 4. se lava. 5. me visto.

7. a. verdadero. b. falso. c. verdadero.

8. b. La gente se viste. c. Me acuesto. e. Te pintás las uñas.

UNIDAD 13

1. 1. Voy en. 2. Llega a. 3. Viaja con. 4. es a. 5. Viene por. 6. está en. 7. Voy a. 8. Hay en. 9. Hay con. 10. Van por.

2. 1. *Estamos aquí desde la semana pasada.*
   2. Vamos al gimnasio para hacer ejercicio.
   3. ¿Por qué no te gusta la montaña?
   4. Están de vacaciones hasta el día veinte.
   5. Tomo el tren porque es muy cómodo.
   6. ¿Adónde vas este fin de semana?
   7. ¿De dónde es tu marido?
   8. Voy a la playa para tomar el sol.

3. 1. medio de transporte.
   2. procedencia.
   3. destino.
   4. causa.
   5. hora.
   6. lugar por el que pasa.
   7. hora
   8. finalidad.

4.

Ir, venir, viajar, **llegar**	(medio de transporte)	**En**
Estar, haber **poner**	(localización)	en
Ir, venir, **pasar**	(lugar por el que se pasa)	por
Ir, venir, **ser**	(procedencia, lugar de nacimiento)	de
Viajar, ir, **volver**	(dirección)	a

5. 2. ¿Adónde / A dónde vas tan cargada? – A.
   3. ¿En qué viajas normalmente? – en.
   4. ¿Isabel va sola a la fiesta? – conmigo.
   5. ¿Con quién haces el intercambio de conversación sueco-español? – con.
   6. ¿A qué hora llega a Lima? – a.
   7. ¿Cuánto tiempo van a estar fuera? – de – a.
   8. ¿Cuál es el camino más corto? – por.
   9. ¿Por qué vives en el campo? – porque.

6. Hola, Lidia:
   Soy un amigo de tu hermano. Me llamo Steven y soy ~~por~~ → de Canadá. Estudio español en Alcalá y vivo ~~con~~ → en Madrid ~~para~~ → desde el mes de febrero. Todos los días voy desde Madrid ~~por~~ → hasta Alcalá en tren. Los fines de semana me aburro ~~conque~~ → porque no conozco muy bien la ciudad y por eso necesito una persona ~~en~~ → de aquí, ~~por~~ → para visitar juntos los sitios interesantes. ¿~~Porque~~ Por qué no me ayudas tú?

7. 1. del – en – al – a – a – a.
    2. de – a – en – con.
    3. al – con – en – a – a.
    4. a – en – a.
    5. a – de – en – con – a – por.
    6. por.
    7. contigo – porque.
    8. para.
    9. de – a.
    10. desde – hasta.

8. 1. falso. 2. falso. 3. verdadero. 4. falso.
    5. verdadero.

9. a. Voy al banco. b. Te espero en la calle.
    c. ¿Por qué no vienes? d. Voy a pie desde mi
    casa hasta la estación de tren.

UNIDAD 14

1. 1. aquellas. 2. esos. 3. esta. 4. ese. 5. aquel.
    6. esas. 7. aquel. 8. esos. 9. esto. 10. estas.
    11. eso. 12. aquella.

2. ahí: esas mesas. 2. aquí: esta caja. 3. allí:
    aquellos cuadros.

3. 1. esta; 2. eso; 3. aquel; 4. esa; 5. este – ese;
    6. Aquel.

4. 1: ¿Cómo se llama **eso**? 2: ¿Qué es **esto**?
    3: ¿Me pasas **aquel** libro? 4: **Ese** vestido
    es precioso. 5: Ahora estoy **aquí**. 6: **Esta**
    es mi clase.

5. 1. Deducciones fáciles: esta – ahí – allá /
    allí. 2. Comprar en la frutería: esos – estos
    – aquel. 3. Descansar en un pueblo: aquí –
    este – aquel – aquí – este.

6. a. son variables. b. siempre son
    pronombres. c. están en relación. d. se
    refieren.

UNIDAD 15

1. Modo: bien, mal, tranquilamente,
    claramente, totalmente. Tiempo: ayer,

mañana, pronto, tarde. Lugar: lejos,
delante, enfrente de, al lado de, aquí,
allí, cerca de. –mente: tranquilamente,
claramente, totalmente.

2. Cerca: un poco (cerca), bastante (cerca),
    muy (cerca). Mal: un poco (mal), bastante
    (mal), muy (mal). Tarde: un poco (tarde),
    bastante (tarde), muy (tarde). Con el
    resto no es posible.

3. Fácil: fácilmente. Loco: locamente. Lento:
    lentamente. Normal: normalmente.
    Constante: constantemente. Absurdo:
    absurdamente. Eficaz: eficazmente. Tonto:
    tontamente. Frío: fríamente. Dulce:
    dulcemente.

4. 2. bien / mal. 3. debajo de. 4. detrás de.
    5. dentro de. 6. Encima de. 7 delante de.

5. 1. El león está **debajo del** hipopótamo.
    2. La gallina está **encima de** la jirafa.
    4. El tigre está **detrás de**l caballo.
    5. Los pollitos están **al lado / cerca de**
    la oveja.

6. encima de - lejos - tarde - bien - detrás de

7. a. verdadero. b. falso. c. falso. d. falso. e.
    falso. f. falso. g. verdadero.

UNIDAD 16

1. 1. tercero. 2. sexto. 3. décimo. 4. noveno.
    5. octavo. 6. séptimo. 7. quinto. 8. cuarto.
    9. segundo. 10. primero.

2. 1. segun**da** empresa. 2. cuar**to** piso.
    3. prim**eras** páginas. 4. déci**mo** piso.
    5. quin**tas** jornadas. 6. sex**to** puesto.

3. 1. 19.° 2. 7.ª 3. 11.° 4. 14.° 5. 5.° 6. 11.ª 7.
    13.° 8. 8.ª 9. 3.° 10. 6.° 11. 15.° 12. 16.ª
    13. 17.° 14. 1.ª 15. 18.°.

4. 1. primero – segundo – tercero. 2. décima.
    3. cuarto. 4. quinto. 5. décimo. 6. sexta.

7. tercer. 8. tercera. 9. segunda. 10. primero.

5. 1. quinta. 2. décimo. 3. primeras. 4. cuarta. 5. duodécimo. 6. séptimo. 7. novena. 8. primer – segundo. 9. terceros. 10. tercer.

6. a. falso. b. verdadero. c. falso. d. falso. e. verdadero.

UNIDAD 17

1. YO: mis compañeros, mi profesora.
TÚ / VOS: tu clase de español, tus preguntas.
ÉL / ELLA / USTED: su problema, sus amigos, sus gatos.
NOSOTROS /-AS: nuestros ejercicios, nuestra habitación, nuestro perro.
VOSOTROS /-AS: vuestra casa, vuestros profesores.
ELLOS / ELLAS / USTEDES: su problema, sus amigos, sus gatos.

2. 1. nuestra. 2 mis. 3. su. 4. su. 5. mi. 6. nuestros. 7. tu. 8. vuestra. 9. tus. 10. vuestros.

3. 1. vuestros correos electrónicos. 2. Mis padres. 3. tu ordenador. 4. Vuestra casa. 5. Sus libros.

4. 1. tu. 2. su. 3. sus. 4. nuestros / vuestros / sus. 5. mi. 6. tu. 7. mis – mi. 8. mi – tu. 9. nuestro. 10. mis / nuestras – su.

5. 1. En la tercera de singular y plural. 2. Nuestro y vuestro.

6. a. verdadero. b. falso. c. falso.

UNIDAD 18

1. 1. tuya. 2. nuestro. 3. suyo. 4. vuestra. 5. míos.

2. 1. nuestros. 2. tuyas – las mías. 3. la nuestra.

3. 1. tuyos – suyos. 2. sus – mías. 3. míos – nuestros – vuestros. 4. nuestra. 5. suya – mía.

4. 1. tuyo – mío. 2. nuestra – vuestra. 3. suyos – nuestros. 4. mías. 5. vuestro / suyo (de ustedes).

5. 1. a. la nuestra. b. el suyo (de usted / ustedes). c. los nuestros.
2. a. los tuyos – los míos. b. la vuestra – la nuestra. c. el suyo – el suyo.
3. a. el mío. b. el suyo. c. el nuestro.

6. 1. la tuya – la mía – la tuya – la mía.
2. tuyos – míos – tuyos – los míos – tuyos – mío.
3. nuestra – la vuestra – nuestra – vuestra – la mía / mía.

7. a. verdadero. b. falso. c. verdadero. d. falso.

UNIDAD 19

1. 1. Cómo. 2. Qué. 3. Qué. 4. Cómo. 5. Qué. 6. Qué. 7. Qué. 8. Qué.

2. 1. Cuánto 2. Cuántas 3. Cuánta 4. Cuánto 5. Cuántos. 6. Cuántas. 7. Cuántos. 8. Cuántos.

3. 1. ¡Cuánto sabe de historia! 2. ¡Cuánto come! 3. ¡Cómo cocina! 4. ¡Cómo juega! (al fútbol) / ¡Que bien juega (al fútbol)! 5. ¡Qué inteligente es! 6. ¡Cuánto lee! 7. ¡Cuánto corre! 8. ¡Qué pelo! / ¡Qué pelo tiene ese chico!

4. 1. ¡Qué bien huele! / ¡Cómo huele! 2. ¡Qué bonito y / pero qué caro! 3. ¡Qué sucio está (el coche)! 4. ¡Cuánto tráfico! 5. ¡Qué alta está la música! 6. ¡Qué vestido!

5. **En clase:** a. ¡Qué calor! b. ¡Cuántas sillas! c. ¡Cuántos deberes!
En casa: a. ¡Qué limpia (está la cocina)! b. ¡Cuántas patatas! c. ¡Qué desordenada (está la casa)! / ¡Qué desorden!
En la discoteca: a. ¡Qué bien baila! / ¡Cómo baila! b. ¡Qué barato! c. ¡Cuánta gente!

6. a. falso b. verdadero c. verdadero.

7. a. ¡Cómo bailan! b. ¡Qué calor! c. ¡Cuánto bebe!

UNIDAD 20

1. **Posibles respuestas**
   1. Mi profesora va a preparar los exámenes; 2. Mis padres van a hacer la compra. 3. *Mis padres van a celebrar su aniversario.* 4. Mis hermanas y yo vamos a ir al cine. 5. Mis hermanas y yo vamos a limpiar nuestra habitación. 6. Mis padres van a comer juntos. 7. Mi profesora va a corregir los ejercicios.

2. 1. El mes que viene vamos a comprar una casa. 2. Mañana voy a celebrar mi cumpleaños. 3. El próximo martes vamos a ir de excursión. 4. El año que viene voy a ir a estudiar a la universidad. 5. La semana que viene van a tener un examen.

3. 1. voy a ir. 2. va a comer. 3. va a salir. 4. te vas a levantar / vas a levantarte. 5. van a venir.

4. 1. voy. 2. a. 3. vais – a. 4. van. 5. vamos.

5. 1. ¿Adónde vas a ir el sábado? 2. ¿Adónde van a ir Mercedes y Carmelo este verano? 3. ¿Vamos a salir esta tarde? 4. ¿Dónde vas a estudiar esta tarde? 5. ¿Qué van a tomar? / ¿Qué vais a tomar?

6. 1. hoy voy a hacer la maleta. 2. voy / vamos a ver la película. 3. voy a llamarte / felicitarte / hacerte un regalo. 4. vamos a ir a museos / vamos a salir por la noche. 5. voy a ir a México.

7. a. verdadero. b. verdadero. c. falso. d. falso. e. falso.

UNIDAD 21

1. 1. Estudiar. 2. Salir. 3. Correr. 4. Andar. 5. Comer. 6. Llamar. 7. Leer. 8. Hacer.

2. 1. Riendo. 2. Escuchando. 3. Durmiendo. 4. Poniendo. 5. Bebiendo. 6. Escribiendo. 7. Oyendo. 8. Llegando.

3. 1. Está comiendo en un restaurante. 2. Ahora estamos viviendo en Bolivia. 3. Estoy escuchando música clásica. 4. Estáis estudiando mucho últimamente.

4. 1. estáis viendo. 2. Están durmiendo. 3. están estudiando. 4. está partiendo. 5. me estoy acostando / estoy acostándome.

5. - En el dibujo 1 el hijo está sentado en el sofá hablando por el móvil y en el 2 está limpiando los cristales.
   - En el dibujo 1 la madre está pasando el aspirador y en el 2 está escribiendo en el ordenador.
   - En el dibujo 1 el padre está leyendo el periódico y en el 2 está paseando al bebé.
   - En el dibujo 1 la hija está escuchando música y en el 2 está barriendo.
   - En el dibujo 1 el bebé está llorando y en el 2 está sonriendo.
   - En el dibujo 1 los dos gatos se están peleando y en el 2 están jugando.

6. 1. Jorge es ingeniero y / pero está trabajando en una universidad. Ahora está haciendo obras en su casa y está viviendo en casa de un amigo.
   2. Victoria es bióloga y está estudiando alemán. Está dando clases en un colegio.
   3. Merche es economista; está trabajando en el Ayuntamiento de Pontevedra y está preparando oposiciones.

7. a. verdadero. b. falso. c. verdadero. d. verdadero. e. falso.

UNIDAD 22

1. 1. que. 2. a. 3. de - Ø. 4. Ø. 5. que. 6. Ø. 7. a.

2. 1. puedo – tengo. 2. Sigues. 3. puedo – empiezo. 4. terminas. 5. Sigue – hay – seguir.

3. 2. a. Tiene que seguir todo recto hasta el final y allí está el cine Ideal. 3. e. No puedes pisar el césped porque está prohibido. 4. f. Vuelvo a hacer ejercicio para estar sano. 5. d. Empezamos a ahorrar

todos los años en enero para ir de vacaciones. 6. b. Termináis de discutir de una vez o llegamos tarde al teatro

4. 1. *Tienes que* hablar. 2. Hay que. 3. tienes que. 4. tienes que. 5. hay que.

5. 1. obligación / consejo. 2. prohibición. 3. consejo. 4. instrucción impersonal. 5. petición. 6. permiso.

6. 1. Para el dolor de espalda, *no hay que llevar peso* / hay que cuidar las posturas. 2. Cuando te duele el estómago, tienes que hacer dieta blanda / no tienes que comer picante. 3. Si les duele la garganta, tienen que tomar zumos de limón caliente con miel / no tienen que tomar cosas frías.

7. 1. Hay que estudiar mucho. 2. Vuelvo a fumar. 3. Sigo trabajando. 4. No puedo cerrar. 5. tenemos que…

8. a. falso. b. falso. c. verdadero.

9. 1. a. 2. b. 3. a.

UNIDAD 23

1.

Diga	Vosotros /-as: decid	Tú: di
Haz	Usted: haga	Vosotros /-as: haced
Salga	Tú: sal	Vos: salí
Laven	Usted: lave	Tú: lava
Saca	Ustedes: saquen	Vosotros /-as: sacad
Pon	Vos: *poné*	Usted: ponga

2.

	Tú	Usted	Ustedes
Agitar		X agite	
Marcar		X marque	
Salir	X sal		
Pulsar		X pulse	
Meter	X mete	X meta	
Girar	X gira		
Tener	X ten		
Poner			X pongan
Hacer			X hagan

3. 1. agite. 2. sal. 3. meta – marque – pulse. 4. mete – gírala – ten. 5. pongan – hagan.

4.

PEDIR ALGO	DAR INSTRUCCIONES
1. **Préstame / déjame** un lápiz, que no tengo.	2. **Vuelva** hasta aquella esquina y **ande / camine** unos cien metros.
3. **Baja / apaga** la tele, es que no me concentro.	5. En la gasolinera, **apague** el cigarrillo.
4. **Páseme** la sal y la pimienta, por favor.	6. **Pon / mete** las verduras en el cajón de abajo y **coloca / pon** los huevos en la puerta del frigorífico.

5. 1. ¿Diga? 2. pase. 3. Perdone. 4. bájela – córtela / apáguela. 5. Mire.

6. a. falso. b. verdadero. c. falso. d. verdadero.

UNIDAD 24

1. 1. bastantes. 2. poca. 3. demasiadas. 4. mucho – demasiado.

2. 1. muchos / pocos / bastantes / demasiados. 2. muchas / pocas / bastantes / demasiadas. 3. mucho / poco / bastante / demasiado. 4. mucha / poca / bastante / demasiada. 5. muchos / pocos / bastantes / demasiados.

3. 1. demasiadas / bastantes personas. 2. poco / demasiado / mucho calor. 3. muchos / bastantes colores. 4. viajar poco / mucho / demasiado. 5. poco / demasiado tranquilas. 6. pensar poco / mucho / demasiado. 7. muy / demasiado lejos.

4. 1. La bicicleta corre poco – el coche corre mucho / demasiado. 2. Es bastante alto. 3. Hay demasiadas / muchas cosas en esta maleta. 4. (Todos) los perros están ladrando.

5. 1. demasiado / mucho. 2. poco. 3. muchos.
4. poco. 5. mucho – demasiado / mucho.
6. pocas – mucho / bastante. 7. todas –
muy / bastante / demasiado.

6. a. manzanas. b. yogures. c. café. d. bollos.
e. leche. f. pocos g. demasiadas. h. pocas.

7. 1. todo – mucho – poco – mucho
– bastante – todo – demasiado – todo –
demasiado.

8. 1. a. 2. b.

9. 1. Los indefinidos SÍ concuerdan con el
nombre que va detrás.
2. Si van con adjetivos o con verbos los
indefinidos NO cambian de género y de
número.
3. Los indefinidos SÍ pueden ir solos.
4. SÍ expresan cantidad de cosas, el grado
de una cualidad o el grado en que se hace
una acción.

6. 1. Comieron en casa de Imanol / fueron a
comer a casa de Imanol.
2. Cenaron con Imanol.
3. Fue al concierto de *Los Mejores.*
4. Cantaron / tocaron / actuaron en la sala
Viva la Música.

7. **Posibles respuestas**
- Me levanté pronto pero llegué tarde al
trabajo.
- Hice ejercicio, fui a trabajar y salí un rato
al final de la tarde,
- Estuve en casa toda la tarde y me acosté
pronto.
- Comí solo, vi la televisión y hablé por
teléfono con un amigo.
- Dormí la siesta, hice los ejercicios
de español, pero salí un rato al final de
la tarde.
- Me acosté pronto pero no me levanté
pronto.

8. 1. c; 2. b y c; 3. a y c.

UNIDAD 25

1.

Yo hice	Tú estuviste	Nosotros pedimos	Ellos durmieron	Él leyó
Nosotros dimos	Tú tuviste	Yo mentí	Él murió	Ellos cayeron
Vosotros vinisteis		Ellos siguieron	Vosotros pudisteis	

2. 1. estudi**amos**. 2. perd**iste**.
3. aprend**ieron**. 4. pens**amos**. 5. gan**é**.

3. 1. apagué. 2. cargamos 3. saqué
4. comencé 5. entregué.

4. 1. fuimos. 2. fuimos. 3. fue. 4. fue. 5. fui.
6. fui.

5. El martes **fue** al médico. El miércoles
entregó el trabajo. El jueves **hizo** la
comida para siete personas. El viernes
pidió entradas para el concierto del
sábado. El sábado **pagó** el alquiler y **fue**
al concierto de Los Mejores. El domingo
durmió toda la mañana.

UNIDAD 26

1.

	SALIR	SACAR	IR	LLOVER	CUMPLIR
(yo)	**saldré**	**sacaré**	**iré**		**cumpliré**
(tú)	**saldrás**	**sacarás**	**irás**		**cumplirás**
(vos)	**saldrás**	**sacarás**	**irás**		**cumplirás**
(él / ella / usted)	**saldrá**	**sacará**	**irá**	**lloverá**	**cumplirá**
(nosotros /-as)	**saldremos**	**sacaremos**	**iremos**		**cumpliremos**
(vosotros /-as)	**saldréis**	**sacaréis**	**iréis**		**cumpliréis**
(ellos /-as / ustedes)	**saldrán**	sacarán	irán		**cumplirán**

2. 1. viajaremos; 2. lloverá; 3. cumplirá;
4. sacaré; 5. iré.

3. 1. hará. 2. estudiaré. 3. iremos. 4. viajaré /
iré / saldré. 5. me levantaré.

4. 2. celebrarán las bodas de oro; 3. me
compraré un piso; 4. iré allí; 5. será una
pianista famosa; 6. terminaremos la
universidad.

5. Juan: 2. Se enamorará. 3. Se casará.
4. Tendrá un buen trabajo. 5. Ganará
mucho dinero. 6. Disfrutará de sus hijos.

<u>Carlos y Rosa</u>: 1. No irán a la universidad. 2. Aprobarán una oposición. 3. Viajarán por el mundo. 4. No se casarán. 5. Les tocará 50 millones… 6. Invertirán en Bolsa.

6. a. verdadero. b. falso. c. falso. d. falso. e. verdadero.

UNIDAD 27

1. 1. he estado. 2. habéis trabajado. 3. hemos terminado. 4. han pedido. 5. has encontrado. 6. han querido – ha estado.

2. 1. hemos hecho. 2. has puesto. 3. habéis dicho. 4. han visto. 5. has vuelto. 6. has escrito. 7. han abierto. 8. ha madrugado. 9. ha hecho.

3. 1. ¡Nosotros no hemos hecho una cosa así **en nuestra vida**! 2. Yo no, tú has puesto **esta mañana** los papeles aquí después de la reunión. 3. ¿Por qué has vuelto **ahora** a casa de tus padres? 4. No me has escrito un solo WhatsApp **en estas últimas semanas**. 5. En Chueca han abierto **recientemente** un restaurante argentino buenísimo.

4. 1. ¿Has / habéis estado alguna vez en México? / ¿Alguna vez has / habéis estado en México? 2. ¿Has terminado? 3. ¿Qué habéis desayunado esta mañana? 4. ¿Tú nunca has dicho una mentira?

5.

Agenda de Mario	Agenda de Celia
<u>Entrar a trabajar</u> una hora antes (salir a las 2)	<u>Entrar a trabajar</u> más tarde (10.00). Salir a las 3
<u>Ir a buscar a los niños</u> y llevarlos al dentista (5.30)	<u>Comer con el jefe</u> y los compañeros (3.30)
<u>Escribir informe</u> para mañana	<u>Escribir informe</u>
<u>Hacer la compra</u> para el fin de semana	<u>Hacer la compra</u> para el fin de semana
<u>Llamar</u> a Celia (invitarla a cenar ¿el lunes?)	<u>Llamar</u> a Mario (invitarlo a cenar el lunes)

Los dos han escrito un informe. Los dos han hecho la compra para el fin de semana. Los dos han llamado por teléfono, pero Mario ha llamado por teléfono a Celia y Celia ha llamado por teléfono a Mario.

6. 1. b; 2. b.

UNIDAD 28

1. 1. La pongo. 2. Lo leo. 3. Los conocí. 4. Los subrayo. 5. Los quiero. 6. No lo enciendo. 7. La he abierto 8. Las veo. 9. No lo he comprado. 10. Lo / Le espero.

2. 1. lo oyes. 2. comprarlas. 3. os veo bien. 4. los invito. 5. la oímos.

3. 1. cómpralos. 2. no lo he leído. 3. lo estoy esperando / estoy esperándolo. 4. La voy a ver / voy a verla. 5. puedes verla / la puedes ver.

4. 1. lo he recibido. 2. lo / le veo. 3. colócalas. 4. nos han invitado – os vemos. 5. te veo. 6. nos han invitado / nos invitaron. 7. llévalo. 8. lo estoy terminando / estoy terminándolo. 9. los vi y los compré.

5. **Mensaje 1**
la – lo – lo – los – me – los – te
Mensaje 2
te – te – nos – los – las – las – las – los – nos – los – te / me.

6. **Posibles respuestas**
1. *El Quijote* lo escribió Cervantes. 2. A mis amigos suecos los conocí en clase de español. 3. La alfombra persa la están limpiando en la tintorería. 4. A César lo / le vi ayer en el cine. 5. A mis hermanas las fui a buscar al colegio. 7. A Marisa la he llamado varias veces.

7. a. falso. b. verdadero. c. falso. d. falso. e. verdadero.

UNIDAD 29

1. 2. *-íamos*: correr, escribir, conocer, salir, pedir, beber, subir

3. -abas: estudiar, estar, empezar, preguntar, pensar

4. -ías: correr, escribir, conocer, salir, pedir, beber, subir

5. -ía: correr, escribir, conocer, salir, pedir, beber, subir

6. -aban: estudiar, estar, empezar, preguntar, pensar

7. -íais: correr, escribir, conocer, salir, pedir, beber, subir

8. -ábamos: estudiar, estar, empezar, preguntar, pensar

9. -ían: correr, escribir, conocer, salir, pedir, beber, subir

2. 2. -íamos: nosotros/-as corríamos, nosotros/-as escribíamos, nosotros/-as conocíamos, nosotros/-as salíamos, nosotros/-as pedíamos, nosotros/-as bebíamos, nosotros/-as subíamos

3. -abas: tú estudiabas, tú estabas, tú empezabas, tú preguntabas, tú pensabas

4. -ías: tú corrías, tú escribías, tú conocías, tú salías, tú pedías, tú bebías, tú subías

5. -ía: yo/él/ella/usted corría, yo/él/ella/usted escribía, yo/él/ella/usted conocía, yo/él/ella/usted salía, yo/él/ella/usted pedía, yo/él/ella/usted bebía, yo/él/ella/usted subía

6. -aban: ellos/ellas/ustedes estudiaban, ellos/ellas/ustedes estaban, ellos/ellas/ustedes empezaban, ellos/ellas/ustedes preguntaban, ellos/ellas/ustedes pensaban

7. -íais: vosotros/-as corríais, vosotros/-as escribíais, vosotros/-as conocíais, vosotros/-as pedíais, vosotros/-as bebíais, vosotros/-as subíais

8. -ábamos: nosotros/-as estudiábamos, nosotros/-as estábamos, nosotros/-as empezábamos, nosotros/-as preguntábamos, nosotros/-as pensábamos

9. -ían: ellos/ellas/ustedes corrían, ellos/ellas/ustedes escribían, ellos/ellas/ustedes conocían, ellos/ellas/ustedes salían, ellos/ellas/ustedes

pedían, ellos/ellas/ustedes bebían, ellos/ellas/ustedes subían

3. llegábamos - se enfadaba. 2. tenía. 3. vivían. 4. iba - veíamos. 5. era - llevaba.

4. 1. Una caja de regalo (para sombreros): Era grande y redonda, se abría por arriba, dentro había un sombrero azul, tenía muchos colores.
   2. Tus dos amigos de la infancia: Eran muy divertidos, eran marroquíes, tenían los ojos oscuros, tenían catorce años, vestían de forma muy moderna.

5. preguntabas – interesaba – eres – piensas – eras – estás – ríes – gustaba – íbamos – nos quedamos – veías – teníamos – éramos – tenemos – estudiábamos – pensaba – éramos - veíamos – son – tienen – vivíamos – vivimos – quería

6. Todos los días comía con María / Algunos miércoles iba al cine / Todos los viernes salía de tapas / Algunos días veía fútbol con sus amigos.

7. a. verdadero; b. falso; c. verdadero.

8. a. Tenía siete años; b. Eran las doce.

UNIDAD 30

1. 1. les dieron la noticia. 2. les he comprado regalos. 3. no le echo mucha sal. 4. le he puesto la correa. 5. le enviaré flores.

2. 1. le: a Martina. 2. me: a mí. 3. nos: a nosotros. 4. les: a mis padres. 5. te: a ti. 6. le: a mi abuelo.

3. 1. (a mí) me. 2. correcta. 3. le han contado. 4. te (a ti). 5. se lo.

4. 1. se lo damos. 2. se lo regalé / se lo he regalado. 3. se lo envío / se lo enviaré. 4. se las he prestado.

5. 1. te – me las. 2. me – te lo. 3. te lo. 4. me – te las
   En resumen: le – le – le – le.

6. 1. El coche no **se lo** prestamos a Juan porque es poco cuidadoso. 2. La postal de felicitación **se la** enviamos / enviaremos a Lucía y Darío porque el lunes cumplen un año de casados. / A Lucía y Darío **les** enviamos / enviaremos la postal de felicitación porque el lunes cumplen un año de casados. 3. El ordenador portátil **se lo** compramos a Sonia porque viaja mucho por trabajo. / A Sonia **le** compramos el ordenador portátil porque viaja mucho por trabajo. 4. Las zapatillas de invierno **se las** compramos / regalamos a Ricardo porque es muy friolero. / A Ricardo **le** compramos / regalamos las zapatillas de invierno porque es muy friolero.

7. a. verdadero. b. falso: lo correcto es: se lo he dado. c. falso. d. verdadero.

UNIDAD 31

1. 1. En el pueblo de mi marido viven menos personas que en el mío.
2. Mi casa tiene más metros cuadrados que la tuya.
3. Septiembre tiene tantos días como abril.
4. En esta clase hay tantas chicas como chicos.
5. Yo trabajo tanto como tú.

2. 1. tan. 2. tanta. 3. tantos. 4. tantas. 5. tanto – tan.

3. 1. tanta – (mucha) más – que. 2. tantos – (muchos) más. 3. tantas – (muchas) menos. 4. tanto – (mucho) menos.

4. 1. menos – que. 2. tantas – como – menos – que. 3. más – que. 4. más – que – más – que. 5. tantos – como.

5. **Posible respuesta**
Don José tiene muchos más discos que don Alfonso.
Don José tiene muchos menos libros que don Alfonso.

Don Alfonso tiene más álbumes de fotos antiguas que don José.
Don José duerme tantas horas como don Alfonso.

6. a. tan – como b. sustantivos femeninos en plural.

7. a. verdadero; b. falso; c. falso.

UNIDAD 32

1. 1. El curso que hago por las noches es de español.
2. Los alumnos que estudian mucho sacan buenas notas.
3. El teléfono que suena todo el tiempo es el de mis vecinos.
4. Las camisetas que compré en Lima están pintadas a mano.
5. El CD que te envié ayer tiene muchas fotos del viaje a Perú.

2. Hace. 2. Creo. 3. Creo / Opino. 4. Desde. 5. Hace. 6. desde. 7. hace. 8. Creo / Opino. 9. Creo / Opino. 10. Hace.

3. 1. desde que. 2. Desde que. 3. hace – que 4. hace que. 5. desde que – que.

4. **Posibles respuestas**
1. Hace seis años que vive aquí / en esta ciudad.
2. Desde que Luis usa crema solar…, no se quema.
3. Creo / Opino que es una ciudad incómoda.
4. Creo / Opino que este año vamos a tener unas vacaciones estupendas.
5. Desde que no como grasas me siento muy bien / desde que dejé de comer grasas me siento muy bien.
6. Creo / Opino que las redes sociales son muy útiles.

5. 1. b y c; 2. e; 3. h.

SOLUCIONES TEST AUTOEVALUACIÓN

1. c	5. b	9. c	13. a	17. b	21. c	25. a
2. b	6. b	10. b	14. b	18. b	22. a	26. b
3. c	7. a	11. b	15. a	19. a	23. a	
4. b	8. b	12. a	16. a	20. a	24. c	